작지만 달콤한 행복

작지만 달콤한 행복

발행 2023년 01월 10일
저자 이선주
펴낸이 한건희
펴낸곳 주식회사 부크크
출판사등록 2014. 07. 15(제2014-16호)
주소 서울특별시 금천구 가산디지털1로 119 A동 305호
전화 1670-8316
E-mail info@bookk.co.kr
ISBN 979-11-410-6500-3

www.bookk.co.kr

시끄러운 고통에서 벗어나
지구사랑 미니멀리스트가 되다.

작지만 달콤한 행복

이선주 지음

BOOKK

Contents

- 그린 메신저가 되고 싶다.

6부 **나는 단순하게 살기로 했다.** 115

- 나에게도 좋고, 지구에게도 좋고,
  소소한 생활의 행복.
- 우리 삶의 양식을 바꿔야 한다.
- 착한 소비가 필요해.
- 소소하고 사소한 녹색생활
- 슬로우라이프를 원해.
- 마력을 뿜어내는 상상력으로,
- Less Is More!에 꽂혔다.
- 여백의 미.
- '아름다울 미' 중독
- 내 취향을 촘촘히 알아가는 기쁨, 심미안
- 시그니처 룩
- 자신사랑
- 나의 행복은 작고 귀엽다.
- 공짜인 줄 모르고,
- 내 삶이 즐거다.
- 파랑새인가. 소확행인가.
- 본연의 나만을 사랑하는 것. 그것이 소확행.
- 두려움의 '슬럼프'는 없다.
- 어느 갑부의 마지막 편지
- 소박한 삶을 원한다.
- 본연의 자신 재생 순환소. 우리집
- 나만의 공간.

프롤로그

영들의 속삭임이란 감옥 속에 갇혀 진짜인 나를 만나지 못하고 5년의 삶의 대부분을 보냈다. 내 안에 진정한 나를 만나지 못하는 삶은 공허로 가득했다. 하지만 이제는 내가 많이 나아졌다. 어둡고 차가운 공기 속에서 보낸 나날들. 어느 순간부터 감은 두 눈 위로 햇빛이 쏟아졌다. 한 줄기 햇빛으로 세상의 평안을 다 가진 기분이었다. 나를 비난하고 괴롭히던 가짜인 내 존재가 사라지고 온전히 진짜가 된 나는 이땅에 태어난 의미를 날마다 깨우친다. 시간이 흐르면 잘 다져지고 비옥한 땅이 되길 바란다. 그 위에 비바람이 불고 눈이 내리고 땅이 언다 할지라도 봄이되면 당당히 생명의 싹을 움트게 하고 무럭무럭 자라나는 내가 되고 싶다. 삶의 여정 중 아침이 있다는 것은 참으로 감사한 일이었다. 아침의 신선한 공기와 찬란한 햇빛. 새들의 지저귐은 내가 참 많은 것을 가진 사람이라는 것을 깨닫게 해주었다. 아침이 준 새로운 마음 안에서 눈을 감고 가장 행복한 때를 생각하며 감사함이 넘치던 시간을 느껴본다. 나의 마음은 살며시 밝은 에너지가 가득해진 아침이 되었다. 오늘의 아침은 정말 나에게 최고로 좋은 날이다. 새처럼 자유롭게 훨훨 날아갈 것만 같았다. "가볍게!" 그것은 나의 주문이 되었다. 쓸모없는 것들을 줄여나감에 따라, 나의 기운은 날아올랐다. 비움은 내 삶의 모습을 확 바꾸어 놓았다. 나는 한층 더 쉽게 더 효율적으로 더 우아하게 하루하루를 살아가기 시작했다. 누구나 하루종일, 몇 날 며칠, 몇 달 동안 몸과 맘이 아플때가 있을 수 있다. 그 고통을 소중한 경험으로 받아들이면 더 이상 그것은 고통이 아니다. 비록 가슴 아프고 절대 겪고 싶지 않은 경험이었지만 그 고통을 견디고 소화했던 내 모습을 통해 삶의 깊이를 느끼고 영혼의 성장을 이끌어내 본다. 육신의 삶이 아닌 나비와 같은 영혼의 삶을 생각한다면 행복만 가득해서 배울게 없는 지루한 인생보다 여러 경험을 통한 배움이 진정한 인생이 아닐까. 1987년에 태어난 나. 이제 난 어느새 빠르게 흘러가는 시간으로 인해 지금의 내가 되었다. 나는 언제나 나로 나답게 살아갈 것이다. 시끄러움의 고통 속 경험들의 깨우침이 다른 누군가의 빛이 되길 바란다. 따사로우면서도 따뜻한 아름다움의 빛나는 햇살. 나의 닉네임은 그래서 JuJusunshine이다.

/

1부

/

진정한 나를 찾고 싶었다

허황한 욕망 속에서,

살다 보니 그렇다. 인생은 언제나 편안할 수만은 없었다. 복잡하고 때론 아프고 혼란스럽기도 한 삶 속에서, 이제는 차분함을 유지하며 행복하게 살아가고 싶은 마음뿐이다. 어질어질 복잡함의 세계에 눈을 떴었던 과거의 시간. 자아를 찾기 위해 고민했던 시간. 나도 모르게 시끄러움의 고통을 느끼며 아파했던 시간. 그런 시간 앞에서 나는 '미니멀리즘'과 만났다. 진정한 자유를 되찾아주었던 '미니멀리즘'은 기분 좋은 따스한 햇볕의 감촉을 느낄 수 있도록, 삶에 남긴 타박상들을 극복할 수 있도록, 나의 힘, 근원의 행복 호르몬이 되어주었다. 어떠한 상황 속에서도 온전히 내 모습을 지킨다는 것은 쉬운 일이 아니겠지만,

그저 오묘하게 찾을 수 있는 가장 햇빛 찬란한 곳으로 주저하지 않고 뚜벅뚜벅 천천히 걸어가 본다. 플라톤은 『향연』에서 "무언가를 위해서 살아야 하는 것이 있다면, 그것은 미를 바라보는 것이다."라고 말했다. 그의 대화편 전체는 '미'를 최고의 가치로서 열광적으로 찬미하는 내용으로 이루어져 있다. '플라톤'의 글처럼, 어린 시절의 나 또한 '아름다움의 미'를 최고의 가치로 여기고 열광적으로 찬미하는 'Beautiful Dreamer'였다. 그것은 원치 않아도 들여다보게 되었던 '대중매체'와 좋아했던 다양한 '예술의 세계' 때문이 아니었을까 생각해 본다. 다만 '플라톤'과 다른 것이 있었다면, 그가 내놓는 미의 개념은 광범위했다는 것이었다. '플라톤'의 판도와는 다르게 어린 소녀는 그저 눈으로 보이는 외적인 겉멋의 아름다움이 좋았다. 하늘처럼 바라보게 된 예술, 패션, 뷰티 문화 속에서 펼쳐지는 아름다운 미의 세계는 반짝거리는 수수한 별들을 가려버린 채 욕망의 블랙홀로 정신을 혼동하게 해가며 "저를 구입하고, 아름다운 미의 세계에 입문하세요!"라는 '돈'과 '소비'의 질긴 유혹 메시지로 머릿속을 간지럽혔다. 오로지 가진 게 많아야 행복해질 수 있을거란 기준의 잣대를 들이대며, 허황한 욕망의 창살에 나를 가둬버렸던 것이다. 옛 시절을 떠올리면 잡지나 TV, 각종 미디어에 사로잡혀, 현실과는 너무나 동떨어진 이상의 꿈과 철없이 과하기만 했던 상상에 젖어들었다. 그리곤 '나에겐 훨씬 더 많은 것이 필요하다'란 생각으로, 소비문화의 덫에 빠져들고 말았다. 머릿속에는 항상 핫함을 상징하는 '가지고 싶은 물건 리스트'가 저장되어 있었다. 이러한 경험의 시간이 축적되다 보니, '나란 사람은 무엇인가 더 많이 소유하기 위해 지금 이 세상에 존재하고 있구나'란 생각 속에서, 욕망의 꿈을 꾸게 만드는 소비를 위한 삶을 살아왔던 것 같다. 물론 너무나도 비싼 제품들은 엄두도 못 냈지만 말이다.

진정한 나를 찾고 싶었다.

당신에게 먼저 내가 아팠었던 과거 이야기들을 꺼내 이야기하고 싶다. 20대 후반에 들어섰을 때 이야기다. 그때 나는 삶에 대한 의문이 생겼다. "나는 무엇을 위해 살아가야 할까?" "나는 왜 이곳에 태어났을까?" "나라는 존재는 과연 무엇일까?" "나는 이제 어떻게 살아가야 할까?" "나의 행복은 과연 무엇일까?" 이러한 물음들이 내 머릿속을 짓누르곤 했다. "그래. 난 나답게 살아가고 싶은데. 진정 나다운 것은 무엇일까? 진정 좋아하는 것이 무엇일까?" 꼬리에 꼬리를 무는 질문들이 떠올랐지만, 막상 그 질문에 대한 답을 할 수가 없었다. 나는 어렸을 적 장래 희망의 변천사를 여전히 뚜렷이 기억한다. 그만큼 그 시절에는 확고하게 내가 하고 싶은 것이 있었으니까. 하지만 고등학교를 졸업하고 어린 시절 접해보지 못했던 다양한 사람들을 만나고, 새로운 것을 보고 듣고, 경험하게 되자 호기심 때문이어서 그런지, 다양한 것에 대한 관심이 생겨났고, 어렸을 적 단 하나의 꿈은 모호해져 버렸다. 나는 분명 나만의 색이 있었던 사람이었고 그 색깔도 좋았다. 하지만 뭔가 희미하고 뿌연 느낌의 안개가 끼어있다는 느낌으로 인해, 다양한 관심사 분야를 접하고 공부해 보면서 새로운 경험으로 조금 더 선명해진 나를 찾고 싶은 마음이 새록새록 자라났다. 관심사를 직접 경험해가며 현실로 이루어진 전체적인 틀 안에서 '진정 내가 원하는 나'를 찾아가고 싶었다. 물론 확실한 정답이 없다는 것을 알고는 있었다. '원하는 나 찾기' 여행에 방황하지 않는 사람도 없으리라는 것도 이미 알고 있었다. 하지만 행선지가 정해져 있지 않다는 것은 어디든지 갈 수 있다는 것이었다. 그 길이 어느 길이든, 나의 관심사로 이루어진 그 길가의 펼쳐진 풍경들을 감상하고 느껴가며, 그 길이 내가 걸어가길 원하는 길인지 알아가고 싶었다. 또한 30대부터는 세상에 대해 조금 더 알고, 진정 내가 원하는 나를 찾아가며 후회 없는 삶의 나 자신을 완성하기 위해 조금 변화된 모습으로 살아가고 싶은 마음도 있었다. '진정한 나를 찾고 싶다'라는 생각을 하게 된 시기, 내가 좀 더 나아져야 겠다는 생각이 들었다. 하루빨리 나의 '자아 정체성'을 확실하게 찾아내어 '나는 어떤 사람이고, 앞으로 어떤 인생 스토리를 그려나갈까?'란 질문의 답으로, 원하는 삶의 그림을 하나하나 그려나가고 싶었기 때문이다. 이러한 고민을 친한 고등학교 선배 오빠에게 털어놓자, 선배가 나에게 이렇게 말했다. "마음, 인생 공부를 할 수 있는 것은 성경이야. 한번 성경 공부를 시작해 보는 게 어때?"

성경 공부를 시작하다.

선배의 제안에 "나도 성경 공부를 한번 해보자!"란 생각이 들어왔다. 선배는 선교사인 'B 언니'를 소개해 줬고, 그 언니와 나는 일주일에 2~3번씩 신사역 카페에서 만나 '성경 공부'를 시작하게 되었다. '성경 공부'를 하게 되었던 제일 큰 이유는 친했던 고등학교 선배 오빠와 나의 남자 친구가 절실한 기독교 신자였기 때문이다. 크나큰 믿음의 신앙인이었기 때문에 왠지 모를 호기심에 성경 공부를 해보고 싶었다. 왜 하나님을 믿게 되었는지, 성경에는 어떤 이야기가 쓰여 있을지 궁금했기 때문이다. 전 세계 언어로 번역되었고, 역사상 제일 오래된 기록이라고도 불리며, 어떤 책도 넘나들 수 없는 세계 1위 베스트셀러 책으로 알려진 성경. “세상을 창조하신 하나님이 우리에게 하시는 말씀은 과연 어떠한 말씀일까?” 하나님의 말씀을 들으며, 세상의 이야기를 조금씩 알아가고, ‘본연의 나’를 찾고 싶은 마음이 살며시 들어오곤 했다. 성경의 말씀이 인간의 의식과 세상을 체험하며 묻게 되는 것들에 대한 하나의 응답이 될 것만 같은 느낌을 넘어서, 우리가 누구이며 존재하는 의미에 대해 탐색할 수 있는 시간이 될 수 있을 것만 같았기 때문이다. 우리가 결코 알 수 없는 미지의 세계와 다가올 미래. '모든 것을 다 알고 싶다'라는 나의 바람은 허망된 욕심이라는 것을 안다. 그러나 성경의 말씀이 맞는다면, 하나님이 정말 존재하신다면, 하나님의 가르침이 세상의 역사, 인생의 철학을 바로 볼 수 있는 동시에 나는 어디를 향해 나아가야 할지 상세하게 알려줄 나침반이 되어줄 수 있을 것 같다는 생각이 머릿속에 슬며시 들어왔다.

/

2부

/

환청

영들과의 만남

그렇게 해서 시작하게 된 성경 공부. '성경 공부'를 시작한 지 2~3개월 정도 지나고, 어느 늦은 밤. 집에 들어와 침대에 누워 스르르 잠이 들었다. 나는 생전 처음으로 희미하게 펼쳐진 파아란 하늘 위에 떠다니는 커다란 십자가 꿈을 꾸게 되었다. 그 꿈을 꾼 다음 날. 뭔가 기분이 이상하게 묘했다. '정말 이런 꿈은 처음인걸?.. 내 꿈속에 커다란 십자가가 나타나다니..' 어렸을 적 교회에 나가본 적은 있었지만, 나는 하나님의 존재를 믿지 않는 사람이었다. 단지 '흙에서 태어나 흙으로 돌아간다'라는 말을 믿으며 살아왔을 뿐이다. 나에게 신은 '우리가 그 안에서 살고, 그 안에서 움직이고, 그 안에서 존재하는'위대한 성령이었다. 나 역시 이 믿음이 흔들려 신의 존재에 의문을 가지고 거부했던 때도 있었다. 하지만 지금의 난, 이제 그리스도교인으로서 하나님이라 불리는 영적존재의 힘을 믿게되었다. 믿을 수밖에 없었다. 나에게 이상한 일들이 일어났으니까. 왜 나였을까? 연하의 남자 친구를 만나게 되고 '성경 공부'를 하게 된 이후, 나는 미스터리 하게도 많은 영이 내 머릿속에 들어와, 시끄럽게 떠드는 소리를 마냥 듣고만 있어야 하는 신기하고도 고통스러운 '환청'과, 영들이 내 눈앞에 보이는 놀라울 수밖에 없는 '환시'를 경험했다.

시끄러움의 고통

다른 사람들이 보기엔 이런 이야기를 하는 나를 정신병에 걸린 사람이라 생각할 수 있다. 그렇게 보일 수밖에 없을 것이다. 환청과 환시. 이러한 상태를 일반병원에서는 정신병으로 단정하고 치부하기 때문이다. TV에서만 보았었던 귀신 들린 사람들. 환청이 들리는 사람들. '왜 그 많은 사람들 중에 나일까? 내게 이런 환청이 들려오다니.. 말로만 들어왔던, 진짜 영이라는 것이 존재하는 건가?..' 어느 낯선 사람들의 소리가 내 귓가에 처음으로 들려왔을 때, 나는 너무나 당혹스럽고, 황당한 마음뿐이었다. 나의 귓가로 들려오기 시작한 의문스러운 사람들의 소리들. 이것만큼 나의 정신을 피폐하게 만드는 건 없었다. 시끄럽게 들려오기만 하는 이 소리를 잡아내려 해도 잡아 낼 수 없었고, 정체를 밝혀내려 해도 밝혀낼 수가 없었다. 어린 소녀와 소년. 젊은 남자와 여자. 아저씨와 할아버지 목소리 등등. 수많은 영의 낯선 목소리가 들려왔다. 이 의문의 소리들은 머릿속과 귓가, 내 주위를 맴돌며 나를 너무나 괴롭혀댔다. 내 머릿속에 들어와 이름을 말하고, 자신의 이야기를 해나가는데, 몇 분, 몇 시간이 지나갈 때마다 다른 영의 목소리로 체인지 되어 바뀌어 나간다. “사람이 되고 싶어”라고 말하는 영들, “네가 되어서 땅의 세계를 경험하고 싶어.” “하늘보다 땅에서 살아가고 싶어..”라고 이야기하는 영들, 입에 담지 못할 욕을 계속해가며 나를 괴롭히는 영들의 수많은 목소리들. 그러한 욕들을 마냥 듣고만 있어야 하는 나의 신경은 점점 날카로워져만 갔다. 듣기 싫은 소리를 계속 듣고만 있어야 되는 것. 이것은 나에게 고통스러운 일종의 고문이었다. 이 소리들을 정말 없애버리고 싶었고, 조용스럽기만 했던 예전의 나의 머릿속으로 너무나 돌아가고픈 심정이었다. '왜 나에게 이런 소리가 들려올까? 왜 나에게 이런 영들이 찾아왔을까? 이들의 정체는 과연 무엇일까?..' 처음 나에게 들려온 한 영의 목소리는, 요한계시록의 성경 부분을 이야기하며 종말의 마지막 시대가 오게 될 것이라고 말했다. 그리고는 나에게 명령조로 항상 무엇인가를 시키곤 했다. “무릎 꿇고 기도하라. 성경을 읽어라. 500번 절해라. 밤새 춤을 춰라. 밤새 노래해라. 안 그러면 넌 죽는다. 살고 싶으면 우리가 말하는 대로 행하라.”란 말 등, '죽음'으로 협박하며, 나에게 이런 저런 행동을 하라고 지시하는 환청 소리 때문에, 나는 그대로 그 말을 믿고 하라는 대로 행한 적이 있었다.

이상한 여자. 요상한 여자.

몸속으로 영이 들어와 내 몸을 움직이기도 했다. 내가 몸에서 힘을 조금 빼어버리면, 영들이 들어와 나의 몸을 자유자재로 움직여 댄다. 이들은 내 몸을 쓰면서, 알 수 없이 터무니없는 요상한 동작의 몸짓을 보이기도 했다. 어느 날, 한 영은 이런 말을 하기도 했다. "사탄이 곧 이 집에 들어올 거야! 지금 집 밖으로 당장 나가야 해!" 이런 이야기를 듣고, 나는 집 밖으로 재빨리 나가 집 주변을 한참을 맴돌다가 늦은 저녁이 돼서야 집으로 다시 들어갔다. 이들이 원하는 대로 집 밖 거리에서 마냥 춤을 춰댄 적도 있고, 버스정류장에서 철썩 무릎을 꿇고 기도한 적도 있었다. 나는 이 영들의 명령조 지시 때문에 정말 미쳐가는 것 같았다. '이러한 상황을 나는 어떻게 받아들여야 할까?' 낯선 여자와 남자의 얼굴을 환시로 직접 보게 된 적도 있었다. 내가 목격한 영의 낯선 얼굴들. 그들은 내가 생각했던 만큼 무섭지 않은 모습의 존재였다. 지금 다시 그때를 떠올려 보면, 오히려 나는 TV나 영화관에서 보게 되는 공포 영화가 더욱더 무섭다. 인간의 상상력이 너무나 뛰어나다는 생각이 들어왔다. 정말 인간이 상상해서 만들어놓은 공포는 정말이지 너무나 광적이고 무섭다. 땅에 사는 우리 인간들은 영화에서의 귀신을 너무나 꺼림칙하고 소름이 돋도록 무섭게 만들어 놓았다. 내가 직접 보게 된 영들의 모습은, 그냥 지나가는 사람의 평범한 얼굴이었다. 일반 사람들과 너무나 똑같았다. 단지 보통의 사람들과는 달리 선명함 없이 흐리멍텅한 분위기로 약간 투명하게 보였다. '환청'과 '환시'를 경험하며, 느끼게 된 것은 이제 나에겐 ' 죽음'도, '귀신'이란 것도, 무섭지 않다. 이 이상한 경험으로 내가 깨닫게 된 것은, 사람은 흙으로 되돌아가지 않는다는 것이었다. 우리는 죽으면 하늘로 올라간다. 영이 되어 하늘에서 살게 된다. 이 세상을 만드신 하나님도 존재한다. 귀신, 영들도 실제로 존재한다. 이제 나는 이렇게 하늘의 세계를 믿으며 살아가련다. 다른 이들은 믿을 수 없을 수 있겠지만, 이런 경험을 한 나로서는 믿을 수밖에 없는 입장에 처했으니 말이다.

이유 모를 교통사고

몇몇의 영들은 내 귓가를 혼동시키며 냉혈한 말투로 조곤조곤 속삭여왔다. “네가 되어 땅에서 살아보고 싶어. 너를 죽여버리고 싶기도 해. 이제 나와 너의 영혼이 뒤바뀌게 될 거야..” 나에게 계속 이러한 이상한 소리들로 떠들어대자, 정말 나는 너무나 머리가 시끄럽고 괴로워서, 보복의 정신으로 이 영들을 죽여버리고 싶은 마음이 불 솟곤 했다. 누군가를 죽여버리고 싶다는 생각은 내 생애 처음이었다. 어느 날, 내가 깊은 잠 속에서 벌떡 깨어났다. 두 눈을 슬며시 동그랗게 떠보았다. 나는 집이 아닌 어느 낯선 곳에 누워있었다. 머리가 어지럽고 정신이 아득하기만 했다. 제대로 혼자서 움직일 수가 없었다. 계속해서 기운이 빠져나가고 머리가 지끈지끈 아파와, '내가 이대로 죽는 건가?'하는 죽음에 대한 두려움이 가슴 깊은 곳에서부터 솟아났다. 나의 두 눈앞에 보였던 엄마와 내 남자 친구. 나는 이 상황이 너무나 궁금해서 엄마에게 힘없고 축 처진 목소리로 물었다. "엄마, 여기가 어디야? 내가 왜 여기 있어?" 엄마는 슬프고 안타까운 눈초리로 나의 손을 꼬옥 잡아주었다. "너 교통사고 났었어.." 깨어난 나를 바라본 남자 친구는 엄마의 뒤편에 서서 나의 눈 뜬 모습을 몇 분 정도 바라보고 있다가, 그 즉시 나에게 인사를 건네며 그 자리를 떠났다. 그 후, 엄마에게 나의 이야기를 들었다. "집 앞 버스정류장에 온 버스 뒤에 선주가 매달렸었어. 버스에서 선주가 떨어져서 머리를 다쳤어.." 나는 이 말을 듣고 순간 너무나 당황했다. 내가 교통사고를 당하다니.. 살면서 교통사고를 당한 적은 처음이었다. 이렇게 병원에서 수술을 한 후 입원했었던 것도 처음이었다. 이때 난, 무슨 일이 벌어진 건지 전혀 알 수가 없었다. 내 머릿속은 그저 새하얀 백지화 상태였다. '대체 무슨 일이 일어났던 것일까?' 나의 기억에는 없었던 왜인지 모를 버스와의 교통사고. 옆에 있었던 거울을 보니 까맣고 길었던 머리는 사라져 있었고 나는 삭발을 한 채 병원 중환자실 침대에 누워있었다.

갑자기 없어져버린 내 길다랐던 검은 머리카락들. 거울에 비친 삭발로 남겨진 내 머리를 보아도 생각보다 나는 그리 놀라지 않았다. 그 부분 보단, 내가 버스와의 교통사고로 다친 머리를 수술받은 후, 일주일 동안 의식이 없었던 채로 식물인간으로 지내왔고, 조금만 수술이 늦었더라면 '사망'에 이르렀을 거란 이야기에, 어이가 없는 한탄의 기분으로 얼굴이 초조하게 굳어져 버렸다.

상상조차 할 수 없던 일.

'내가 버스 뒤에 매달렸다니..' 버스 뒤에 매달려 있었다는 그 모습은 정말 상상조차 할 수 없었다. 손잡이도 없는 버스 뒷면에 어떻게 매달려 있었다는 것일까? 전혀 이해할 수가 없었다. 경찰서에 그 기록이 남아있었다면, 정확한 그 교통사고 사건을 조사해보고 싶은 간절한 마음이 치솟았다. 만약 그곳에 CCTV가 있었다면 어떤 방법으로 버스 뒤에 매달렸었는지 버스에 매달린 나를 CCTV로 한번 확인해보고 싶었다. 이 사고는 정말 내 기억에는 전혀 없었던 의문의 교통사고였다. 버스에 매달린 나를 목격했던 사람들이 버스가 달려 나가는 것을 제지하기 위해 그 버스를 향해 달려갔다. 경찰들도 왔다고 한다. 집에서 갑자기 사라져 버리자 나를 찾으러 집에서 나온 엄마는 버스에서 떨어져 머리에서 질질 피 흘리는 내 모습을 보았다. 그곳에 있는 사람들 중에서는 간호사 한 분이 계셨다고 한다. 그녀가 이렇게 말했다. "가만히 놔두세요. 응급차가 올 때까지. 잘못 건드리면 몸에 손상을 일으킬 수 있으니까.." 간호사였던 그분은 가방에 들어있던 휴지로 나의 피를 닦아주었다. 쓰러져 있는 나를 발견한 사람들은 119를 불러주었고, 나는 응급차를 타고 한양대 병원으로 바로 실려갔다. 그렇게 긴급상황으로 달려간 한양대 병원에는 내가 입원할 자리가 없었다. 한양대 병원에서는 엄마에게 미안한 말투로 다른 병원으로 가야 한다고 말해왔다. 다행히 엄마 지인인 아저씨의 인맥으로 인한 도움으로 나는 고려대 안암병원으로 갈 수 있게 되었고 늦은 새벽 3시쯤부터 4시간의 뇌수술을 받았다. 내가 왜 이런 교통사고를 당했을까?

당신의 장난입니까?

나를 죽이고 싶어 했던 영들. 나를 괴롭혔던 영들. 나와 영혼이 뒤바뀔 거라고 말해왔던 영들. 그 영들의 장난이었을까? 나를 영의 세계로 보내려고 했던 것일까? 이 일을 겪어보니, 나는 정말 이건 귀신의 장난이라고 생각할 수 밖엔 없었다. 버스와의 교통사고도 이상했지만, 다른 이상한 일도 있었다. 내가 다른 사람의 스타렉스 차량에 올라가 동동 발을 구르며, 뛰어다녔다는 것이다. 스타렉스 차의 주인은 그런 나의 이상행동 모습을 핸드폰 사진으로 찍어 경찰에 신고했고, 그 사진을 엄마에게 보내왔다. 정말 나의 기억에는 없었던 이상한 일이었다. 다른 사람들이 보기엔 어쩔 수 없이 나를 '정신'과 '뇌'에 이상이 있는 사람으로 파악할 수밖에 없다. 나에게 환청이 들려오게 되고, 의문의 교통사고로 뇌혈관 수술을 받은 후, 병원 중환자실에 입원해 의식 없는 식물인간으로 지내온 일주일간, 남자 친구는 엄마와 같이 나를 간호해주었다. 교통사고를 당한 후 뇌수술을 받고 병원 중환자실에서 깨어난 후에도 시끄럽게 듣고만 있어야 하는 '환청'소리의 고통은 계속되었다. 다친 머리 때문에 혼자서는 일어설 수 없었고 혼자서는 움직일 수가 없었다. 이런 나에겐 옆에 항상 엄마가 필요했고 4개월 동안은 휠체어를 타고 다니며 고된 병원 생활을 해냈다. 참으로 힘든 시간이었다. 몸이 움직일 수 없을 정도로 아팠던 것을 경험하니, 정말 육체적으로 아프고 병든 모든 사람들은 정말 죽을 것 같은 고통을 견뎌내야 한다는 것을 깨닫게 되었다. 내가 움직이려 할 때마다 힘들고 고통스러운 몸으로 사는 것은 휴식과 자유, 존엄성, 독립성을 모두 포기해버리는 것이다. 이러한 삶은 노예와 다름없었다. 그것도 자기 자신에게 속박된 노예였다. 이때 느꼈다. 건강은 정말로 인생에서 제일 중요하고 소중한 것이다.

시끄러움은 계속되었다.

4개월 동안의 병원생활을 마치고 나는 집으로 다시 되돌아왔다. 내 머릿속에 들려오는 시끄러운 영들의 소리가 들리는 일은 하루하루 계속되었다. '이 환청을 어떻게 하면 없앨 수 있을까?' 병원에서 퇴원한 후, 내가 집으로 돌아오자, 이모는 나와 엄마에게 이모가 다니고 있는 우리 집과 가까운 거리의 교회를 소개해 주었다. 그래서 매주 일요일, 나는 엄마와 함께 교회를 다니기 시작했다. 기독교 사람들은 내가 겪었던 이러한 일들을 신비 현상으로 받아들여 신앙의 힘으로 믿기 시작한다. 내가 겪고 있는 환청, 환시의 문제점을 알게 된 교회의 신도들은 성령의 힘, 기도로 치유해야 한다는 말을 나에게 많이 해왔다.

정말 나에겐 방법이 없었다. 기도로 치유하는 방법을 믿을 수밖에 없는 상황의 나였다. 교회를 다니며, 병원 정신과에서 처방받은 약도 챙겨 먹곤 했다. 혹시나 나아질까 정신과 약을 먹기도 했지만, 약은 역시나 나에게 효력이 없었다. 머리가 아파지는 것이 더 심해질 뿐.. 약을 먹으면 내 입이 마비가 되는 것 같았다. 말을 할 때 제대로 된 발음을 할 수가 없었다. 잘 때는 침을 질질 흘려가며 자야만 했다. 정말 어리숙하게 미쳐버린 여자가 되어 가는 것 같았다. 약을 계속 복용하니, 살도 점점 불어났다. 47kg이었던 나의 몸무게가 72Kg로 점점 살이 쪄갔다. 내 몸속에 들어와 몸을 움직이려는 영들, 늦은 밤. 눈을 감고 자려고 하면, 감으려고 하는 두 눈을 자꾸 뜨게 하려고 하는 영들, 내가 웃지 않으려고 해도 내 몸속에 들어와 깔깔깔 계속해서 웃어대는 영들로 인해, 강제로 계속 숨차도록 웃어야만 했던 일들. 나를 욕하고 괴롭히려는 많은 영들의 목소리는 계속해서 내 귓가에 등장했다. 그것은 나에겐 너무나 힘든 일이었다.

답답한 마음.

지금의 내가 딱 하나 후회하는 일이 하나 있다. 내가 듣고만 있어야 했던 그 영들의 이야기를 하나하나 세세하게 기록해 놓았더라면 더 좋았을 것이라는 생각이 들어왔다. 나는 그들이 나에게 떠들어댔던 이야기를 하나하나 세세하게 모든 것을 기억하지 못한다. 하나하나 정밀하게 기록해놓았더라면, 무엇인가 논리적으로 내가 경험했던 이 상황들을 다른 사람들에게 더 자세히 설명할 수 있었을 텐데 말이다. 환청이 들려왔던 기간이 오래되자 내가 들어왔던 환청 이야기의 기억들은 조각조각 흩어져버렸고, 남들이 이해하고 믿을 수 있게끔, 내가 경험한 영들과의 만남 스토리를 잘 정리해서 이야기하고 싶지만, 지금 기억으로는, 그 부분에 있어 상세하게 설명해주기엔 앞 뒤 상황이 맞아떨어지지 않는다. 지금 나는 다른 사람들에게 그저 생각나는 대로 '영들의 목소리를 들었다. 영들이 내 몸속에 들어왔다. 그래서 아팠고 힘들었다'란 이 단조로운 이야기를 할 수 밖에는 없다. 내가 겪었던 일들에 대해 좀 더 파고들어 당신에게 이야기를 하게 된다면, 참으로 동화 같은 이야기, 비상식적인 이야기, 그저 '과대망상'의 정신병일 뿐이라고 치부할 수밖에 없겠다.

하나님의 존재를 믿게 되었습니다.

하지만 교회 사람들에게 내가 겪고 있었던 환청 이야기를 하면 신도들은 마귀 사탄의 영이 내 속에 들어왔다고 이야기하신다. 목사님께서는 '환청'이 들려도 예수님 이름으로 기도하면 이겨낼 수 있다고 말씀해주시면서 나를 위해 항상 기도를 해주셨다. 이러한 현상을 내가 직접 겪고 경험했기에, 나는 어쩔 수 없는 기묘한 형태의 믿음이 생겨났다. "영들은 존재한다. 하늘의 세계도 있다. 하나님은 존재하신다." 앞에서도 이야기했듯이, 어린 시절의 난 교회에 몇 번 나간 적은 있어도, 하나님의 존재를 믿지는 않았던 사람이었다. 단지 성경의 기록된 이 세상의 역사나, 하나님의 말씀이라고 불리는 것들에 대한 호기심에,

성경 이야기가 알고 싶어 졌을 뿐이었다. '성경은 무슨 이야기를 하고 있을까? 하나님이 계시다면 우리에게 하시는 말씀은 과연 무엇일까?' 궁금해졌었던 것이다. 왠지 성경 이야기에는 무엇인가 힘이 있을 것만 같았다. 삶의 더 깊은 차원에 말을 걸어 정신을 형성하고 도덕성과 윤리를 형성하는 힘과 지혜를 얻을 수 있을 것만 같았다. 하지만 그런 이상하고 불가사의한 현상을 직접 겪다 보니, 왠지 내가 종교의 교리를 위해 헌신해야 할 것 같은 느낌이 들어왔을 때도 있었다.

알 수 없는 두려움

환청을 경험했던 시간 동안 시끄러운 고통의 시간은 매일이었다. 그 시끄러운 소리를 들어야만 하는 상황에 나의 마음은 더욱더 아프고 초췌하게 메말라갔다. 나의 몸에 들어와 계속해서 웃어대는 영들, 내 입으로 말을 하려 시도하는 영들, 시끄럽게 들려오는 환청 때문에 집 밖을 나가서 어떠한 활동을 그리 활발하게 할 수가 없었다. 나의 지인이나 친구들이 보고 싶어도 만날 수가 없는 상황이 계속되었다. 종종 일부러 숨어지내거나 나를 세상으로부터 단절시키기도 했다. 남에게 까지 피해를 줄 수 없는 상황의 아픈 나였다. 사람을 피하고 상황을 버티는 것만으로도 버거웠다. 그렇게 꽤 긴 시간동안 나는 스스로를 지키지 못한채 정처없이 떠돌았다. 환청이 들리고 이상한 행동을 하게 되니, 다른 사람들과 나 자신에게 해를 끼치게 될 것이란 걱정에, 당연한 두려움이 쌓여갔다. 나는 내 마음대로 되지 않는 어쩔 수 없는 상황을 만났고, 무엇인가 예상할 수 없는 상황에 여러 번 당황했던 경험이 많았다. 환청, 환시로 고생했던 기간 동안의 나의 일상 움직임은 집 -> 교회 -> 도서관이었다. 그 아팠던 시간 동안에는 영들의 소리에서 조금이라도 벗어나기 위해 영들과 씨름을 해가며, 도서관에서 책을 빌려와서 책을 읽기도 했고, 좋아하는 음악을 크게 듣기도 하고, 글을 쓰기도 했다. 음악은 나의 귓가의 공간을 가득 채우고는 마치 음악자체가 살아서 나의 내부로 들어와 자아를 완전히 사로잡는 듯 했다. 무언가에 도취된 그 영원의 순간은 내 인생을 통틀어 신비로운 무아의 경지에 가장 가까이 다가간 시간이었을 것이다. 매일매일 나는 영들이 내 머릿속에서 나가게 해 달라고 '하나님'께 기도했다. 그 방법뿐이 없었다.

고요히 살고 싶다.

스스로를 정확하게 이해하지 못하는 동안 나는 상처받고 찢기고 고통스러운 날을 보냈다. 깊은 상처에 걷잡을 수 없이 휘청거렸다. 힘듦의 강도가 한계를 넘어서는 기분이 들었다. 작은구멍이 뚫린 둑은 순식간에 무너져 내렸고 마음은 밑바닥까지 추락했다. 그러나 이대로 내가 나를 죽이고 싶지 않았다. 여러 감정이 동시에 일어났고, 생전 처음 겪는 일이라 도저히 어쩔줄 모르며 자포자기 하고 있었다. 평범하기에 이를 데 없는 나에게 이러한 체험은 진정 놀라운 경험이었다. 나의 체험 안에서 영들의 현존을 만날 수 있었다는 점이 말이다. 내 머릿속에는 나를 괴롭히는 영들과 그 악한 영들을 없애려고 나의 편이 되어준

착한 영들이 있었다. 나를 괴롭히는 악한 영들을 없애주려 함께 싸워준 그 영들에게 나는 그저 고마울 뿐이다. 고마워할 수밖에 없었다. 어느 순간 그들 덕분에, 내 머릿속에 있는 '환청'과 '환시'는 내 눈에서, 내 몸속에서, 내 머릿속에서 5년 만에 사라져 버렸다. 갑자기 어디서 딴 사람의 마음을 빌려오듯 내면이 고요해지는 신기한 일이 일어났던 것이었다. 분명 조금전까지는 고통에 몸부림쳤는데 순식간에 놀랍도록 차분해지는 내 모습에 어리벙벙했다. "어떻게 이런 일이 있었을까?"스스로 되물어도 도무지 알 수 없었다. 너무 신기했고 당혹스러웠다. 사실 아직도 그때의 정확한 이유는 모르겠지만 나도 모르는 사이 내면의 힘이 길러진게 아닐까 싶다. 나에겐 너무나 길었던 시간이었다. 갑자기 한 번에 없어져버린 것은 아니다. 자연스럽게 서서히 악한 영들의 환청 소리가 하나하나 줄어들었다. 나를 괴롭히는 악한 영들의 시끄러운 괴롭힘이 완전히 사라지자, 나를 위해 함께 싸워준 그 영들은 나에게 마지막 인사를 건넸다. "이제.. 안녕.. 우리는 이제 가볼게.. 나중에 선주가 죽는다면 그때 하늘에서 꼭 만나자.." 오래 같이 있으면 어떤 경우이든 정들 수밖에 없다는 그 이야기에 이제 공감이 많이 간다. 나를 위해 같이 싸워주고 같이 함께 하나님께 기도해준 영들에게 정이 많이 들었다. 그들이 없어진다고 하니, 나는 왜인지 모를 눈물이 또르르 흘러내렸다. 악한 영들의 괴롭힘에서 이겨낼 수 있게 계속 함께 싸워준 그 흔적들이 기억에 고스란히 남게 되면서 그들에게 정이 많이 들었나 보다. 하지만 이제 그들과는 당연히 헤어져야만 했다. 그 마지막 시간이 왔다. 완전한 내 정신으로 돌아와 내가 사랑하는 사람들과 함께 건강하고 행복한 인생을 살아가려면, 그들과는 당연한 이별을 해야만 했다. 하늘에 '영생'이라는 게 있다 하지만, 땅에서는 영원한 것이 없다. '이별'은 항상 존재하기 마련이다. '이별'또한 가슴을 너무나 아프게 한다. 이제 볼 수 없다는 생각에, 그들의 소리를 들을 수 없다는 생각에, 슬픔의 감정도 많이 있었지만, 이제는 예전처럼 내 머릿속에 아무런 소리 없이 조용하게, 고요하게, 살아가고 싶다는 나의 강한 바람이 솟구쳐 올라왔다.

/

3부

/

내게 필요한 건 '비움'이었다

음지의 꽃

칠흑 같던 어두운 밤, 짙고 캄캄했던 밤하늘. 지금 생각해 보면, 5년이란 시간은 너무나 길었다. 금쪽같은 시간은 흘러만 가고, 하루하루 조금씩 나이를 먹어 가는 속절없는 자동 흐름에, 시간의 소중함이 뼈저리게 느껴져 온다. 내가 보통 사람들과 다를 바 없는 아프지 않고 건강했던 멀쩡한 사람이었다면, 과연 나는 그 5년 동안 어떠한 인생을 살아왔을까. 나는 변방에 방치된 채, 보호가 필요한 찌릿한 외톨이 은둔생활에 머물러, 시끄러움의 환청과 사투하며 지내왔다. 살아가면서 겪는 나의 길을 가로막는 장애물을 생각하면 안타까움이 내리쳐 오기도 하지만, 누구나 인생은 그럴 것이다. 나만이 그런 것이 아니라는 것을 나는 너무나 잘 알고 있다. 이제는 나이 깊으신 어른들께만 들어왔던 '살다 보면 장애물이란 것이 존재하고, 인생의 굴곡 또한 누구나 존재한다.'는 이야기에 찰떡같은 공감이 생겨났다. 누구의 이야기를 들어도, 장애물 없는 경로의 인생은 있을 순 없다. 그것은 바꾸려 해도, 바꿀 수 없는 고정된 현실의 길이다. 언제나 아름다운 기쁨의 향연이 졸졸졸 자신만을 따라다닐 순 없다. 항상 웃는 것이 좋은 것이라 바라볼 수 있겠지만, 낯선 영들이 나 자신만의 영역으로 침입하여, 그들에 의해 "하하, 호호, 깔깔" 의도치 않게 매일매일 강제 이행되었던 억지웃음은, 내게 너무나 힘이 든 고통일 뿐이었다. 그러나 나는 지금에서야 자신의 마음으로 솔직한 웃음을 지을 수 있게 되었다. 그 웃음이 얼마나 소중한 것인지도 알게 되었다. 무엇인가 슬픔, 불안, 아픔, 고통, 기쁨, 행복의 다양한 감정 변화에 대한 굴곡의 흐름이 있어야, '웃음'이란 것이 더욱 더 귀중해진다. "아쉽지 않고, 아프지 않은 인생이 어디 있어! <꽃보다 누나 한 장면 TVN>"라며, 배우 윤여정 님이 말씀하신다. "누구나 갈등은 필요하다. 이는 한 차원 높은 인생을 위한 자극제가 될 수 있다."라고 이시형 박사님이 말씀하신다. 언제 어디서나 어떠한 문제, 아픔을 만나볼 수 있는 것이고, 그러한 감정과의 만남에 좌절하며, 그 좌절에서 헤쳐 나와 자신의 소망을 이루기 위해 살아나가는 것이 인생이란 것이었다. 아픔의 상처를 겪은 만큼, 그 아픔을 이겨내기 위해 더욱 더 강해져 가는 것도, 인생이었다. 삶의 길에 놓인 장애물을 물리쳐가며 자신이 바라는 인생을 살아가기 위해, 우리는 좀 더 강하고 우직한 사람이 되어간다. 나 또한 그것을 헤쳐나가기 위해, 예전보다 조금 더 단단함을 갖춘 여자가 되어나가 본다. 지난 5년간의 삶 속에서 알게 된 것이 또 하나 있다. 어둠 속에서, 파아란 하늘의 '햇빛'을 바라고, 밝음 속에서, 어두운 하늘의 '달빛'을 바란다는 것을. 양지에서만 꽃이 피는 것이 아니다. 음지에서 피는 꽃도 있고, 밤에만 피는 꽃도 있다. 음지에 피는 꽃이 양지로 나오면 시들시들하다 죽는 경우가 많고, 양지에 피는 꽃 역시 음지로 갖다 놓으면 생기를 잃어버린다. 음지에서 양지로 나올 때는 일정 부분 변화의 적응 시간이 필요하다. 한 가지 분명한 것은, 우리에게 양지에서 피는 꽃만이 필요한 것이 아니라, 음지에서 피는 꽃도 필요하다는 것이다. 또한, 어둠의 공간 속 아픔의 물결 뒤에서도, 혼자만의 재생 쉼터가 될 수 있는 야릇한 평안의 자유가 존재하고 있었다. 내겐 비로소 그 5년이란 시간이, 가파르게 헐떡이며 내쉬던 숨결 속에서, 나란 존재와 대화해나가며 자신과 더욱더 가까워질 수 있는 그윽이 황홀한 음지의 자리이기도 했다.

진정한 행복. 두 눈앞에 있었다.

신기하게도 영원히 사라지지 않을 것 같았던 환청과 긴 시간의 사투가 끝나고, 드디어 예전처럼 머릿속이 조용해져 버리는 기쁨의 순간이 나에게 찾아왔다. 그 후로 내 삶에 크게 달라진 점이 한 가지 있다. '예전 같았으면 어쩌지?'하며 지레 겁먹었던 일들이 요즘엔 크게 두렵지 않게 다가오기 시작한 것이다. 버틸 수 없는 고통을 만나고 나니, 버틸 수 있는 일들이 확연히 많아졌다. 캄캄한 날들만 있을거라 생각되던 날. 내 정신은 오히려 밝아졌고 더 강해진 자신을 발견했다. 잠시 폭풍에 휩쓸렸지만, 금방 일어섰고 곧 해가 뜬다는 것도 알게되었다. 비록 한 순간에 무너졌지만, 그 덕에 더 강해졌고 전보다 더 잘 살아갈 힘이 생겨났다. 그리고 무엇보다 아무일 없는 평범한 일상이 삶에 얼마나 큰 행운인지도 알게됐다. 시끄러운 고통의 시달림이 반복되었던 생활을 경험해온 나는, 뼛속을 관통하는 인생의 배움을 얻고야 말았다. 바라고 바라던 '행복'은 그리 멀리 있는 것이 아니었다. 진정한 행복이란, 너무나 많은 자신의 소유물이 아닌, 건강한 몸과 마음의 활력, 따스한 사랑, 소소한 미소가 담긴 즐거움에서부터 시작되는 것이며, 우리의 일상에서 비롯된 아주 보통의 평범함 속에 숨겨져 있었다. 아픔이 무엇인지 경험하고 나서야, 진정한 행복이 무엇인지 금방 알아챌 수 있었다. '조용함'이란, 나에게 너무나 소중하고도 편안한 행복이 되어버렸다. 그리고 지금의 난, 너무나도 달콤한 행복을 일상생활 속에서 빈번하게 느껴볼 수 있는 그런 여자가 되어버렸다. 나는 예전의 내가 아니다. 이제는 남의 시선과 기대에 연연하지 않을 것이다. 내 영혼의 소리에 귀 기울여 진정한 본연의 삶의 자세로 나아갈 것이다. 건강한 몸과 마음으로, 사랑하는 사람들과 함께 기억에 남을 수 있는 추억을 만들어가며, 즐겁게 살아갈 것이다. 나의 큰 바람이 있다면, 긴 시간이 흘러, 이 땅에서의 마지막이 찾아온 그 순간, 아픔 없이 고스란히 잠이 들어, 조용히, 아름답게 이 세상을 떠나가고 싶다. 그 소망만이 너무나 커져갈 뿐이다. 건강은 삶에서 가장 소중하다. 하지만 우리는 그 무엇보다 건강이 고마운줄 모르고 당연하게 여긴다. 우리가 건강을 생각하는때는 오로지 건강을 잃었을때다. 그제야 비로소 건강을 잃으면 우리에게 아무것도 없다는 것을 깨닫는다. 건강과 관련된 이탈리아 격언이 있다. "건강함을 누리는 사람은 부자지만 이를 알지 못한다." 건강은 삶의 선물이다.

내게 필요한 건, ‘비움’이었다.

다시 내가 깨어날 시간이 돌아왔다. 생각을 자유롭게 할 수 있게 되었다는 깊은 감사함 속에서, 나는 예전과는 다른 방식으로 나 자신의 존재를 만들어 나가기로 했다. 오랜 시간 괴로운 환청의 붉은 잡념에 사로잡혀 있다 보니, 나의 머릿속은, 파괴적인 생각과 얽혀버린 불투명함의 고리로 단단하게 묶여 있었기 때문이다. 이 시끄러움의 고통의 흔적에서 이제는 벗어나야만 했다. 나는 생각했다. “앞으로 나는 어떻게 인생을 그려나가야 할까?” 깊게 앓아온 상처에서 벗어나기 위해, 조급하게 나에게 필요했던 것은, 삶을 리셋하는 ‘비움’이라는 시도였다. 나를 비워내는 일은, 무엇인가 새로 채워나가기 위해 꼭 통과해야 할 필수적인 첫 번째 관문이었기 때문이다. 그것이 나를 위해 가장 먼저 시작해야 할 비상 대책안의 올바른 행동이었다. 그동안 내 머릿속에 쌓아만 놓았던 어지러움 가득한 복잡한 헤드 박스를 깨끗하게 청소하며, 머릿속과 마음을 깨끗이 비워내야만 했다. 나를 지배하는 고정관념의 생각들을 하나하나 뜯어보고, 진짜 내 것이 아닌 것들을 몰아낼 수 있는 힘이 나에게 가장 필요한 것이었다. 나를 안다는 것은, 진정 원하는 나를 그려내어, 본연의 자신으로 바꾸어 나가는 일이다. 조용해진 머릿속의 맑은 정신으로, 아픔의 상처와, 혼란스러움으로 가득 찼던 머릿속을 초기화시키고, 내 주변의 것들 또한 하나하나 정리해가며, 마음을 돌아보아야, 비로소 내가 원하는 '자아'가 선명하게 내 눈앞에 비칠 것만 같았다. 쓸데없이 불필요한 잡음으로 다가오는 것들을 버려내는 '비움'을 통해, 명확한 취향과 가치관, 희망의 비전으로 이루어진 견고한 나의 세계관을 만들어내어, 흔들리지 않는 '자아'를 형성하고 싶은 마음이 강하게 들어왔다. 나에게 '비움'이란 것은, 원하는 것이 분명한 사람이 되어, 앞으로의 인생 그림을 예쁘게 그려 나갈 수 있게 도와줄 수 있는 지름길이었다. 비워내다보니 완벽하진 않아도 새롭게 채울 공간들이 조금씩 생겨났고, 쪼그라

들었던 나의 마음에도 신선한 공기가 들어오기 시작했다. 신기했다. 꽉 막혀있던 머릿속이 정돈되면서 다시 나아갈 길을 찾게 해 준 것이다.

4부

조금은 변화하고 싶다.

새로운 관심사

환청의 소리가 서서히 사라지게 되자, 나는 일단 무엇인가를 해야만 했다. 그래서 아빠가 소속되어 계시는 '환경기술인협회' 일들을 조금씩 도와주게 되었다. 아빠는 환경공학을 전공하신 분이었고, 젊은 시절, 아빠는 환경분야 쪽에서 일을 해오셨는데, 과거에는 키스트(KIST)에서 환경공학 연구원으로도 활동해 오신 적도 있다. 아빠가 그런 분이라고 해도, 나는 지구 환경에는 전혀 관심이 없던 아이였다. 그냥 '나만 잘 살고 죽으면 되지!'라는 생각뿐인 사람으로, 세상 돌아가는 이야기를 너무나 모르는 한심한 어린애에 불과했다. 아빠의 일을 도와주며, 환경분야 자료나 환경 뉴스, 다큐멘터리, 책 등을 접해보게 되었는데, 그제야 알았다. Our Home. '지구'의 문제는 정말 너무나 심각했다. 우리는 이미 '지구 위기 시대'에 살아가고 있었고, 지구는 인간의 탐욕으로 인해, 너무나 고통받고 있었다. '자연환경'을 지키지 않으면 우리는 어떤 대가를 치르게 될지, 이대로 아픈 지구의 미래 모습은 어떻게 되어갈지를 생각하자, 한탄스러움의 걱정과 함께, 가슴이 저절로 쓰라려 왔다. 나는 한국이라는 이 땅에서 아무렇지 않게 행복하게 살아가고 있는데, 먼 거리에 있는 기후난민들이나 굶주리는 난민들, 야생동물들의 고통을 듣게 되면, 비록 지구에서 먼지 조각 같은 작은 존재의 나지만, 이 작은 나 또한 왠지 가만히 있어서는 안 되겠다는 생각이 들어왔다. 지구 위기, 환경오염, 생태계 파괴 이야기를 접하면서, 예전보다 그 문제점들에 대한 관심이 생겨났다.

디카프리오의 선한 영향력

나는 이제 지구를 사랑하는 마음을 가진 '미니멀리스트'가 되어버렸다. 물론 우리 집 지구를 사랑할 수 있는 마음을 가질 수 있게, 나에게 좋은 영향력을 선사해준 인물들이 있었다. 그것은 바로 누구였을까? 내가 제일 좋아했던 영화배우. '레오나르도 디카프리오'. 나는 그의 연기력에 반해 어렸을 적부터 그가 출연한 영화를 많이 봐왔었다. 그의 연기력은 너무나 멋졌고, 영화는 참으로 재미있었다. 하지만 내가 그동안 '디카프리오'에 대해 모르고 살아온 것이 있었다. 나는 그가 '환경운동가'인 줄은 차마 몰랐던 것이다. 팬심에 그의 인스타그램 아이디를 찾아 팔로우했고, 그의 소식을 기대했었다. 그런데 이게 웬 말인가.

그는 자신의 사진이나 개봉될 영화 소식을 올리는 것이 아니라, 항상 환경사진, 환경문제, 멸종 동물에 대한 사진만을 업데이트하고 있었다. 처음엔 '뭐지?'란 궁금한 마음뿐이었다. 하지만 이제 그에 대해 알게 된 점들이 있다. 디카프리오는 어렸을 적부터 멸종 동물에 관심이 많았고, 주말이면 자연사박물관에 가서 동물들을 관람하는 것이 취미였다. 그래서 배우를 안 했다면, 그는 '해양학자'가 됐을 거라고 말했다. 그 때문인지 '디카프리오'는 환경 문제에 대한 열렬한 지지자로 활동해 왔다. 1998년 영화 '타이타닉' 촬영 후, 그는 '디카프리오 재단'을 설립하는 등 환경 문제에 큰 관심을 보여왔고, '디카프리오 재단'은 해양 보호를 위해 70억 원을 기부한 바 있었다. 또한 그는, 2014년 9월 20일, UN 평화 사절로 임명되어, 며칠 뒤인 9월 23일에 열린 UN 기후 정상회의에서, 지구의 기후변화와 대책에 대해 논하는 간단한 연설을 하기도 했다. 그 이후, '마크 러팔로'와 함께 친환경 시위에 같이 참석했었던 활동들을 보면, 그는 '환경운동'에 대한 열정이 강한 사람이었다. 그는 2014년에 시작된 52 헤르츠 고래를 조사하기 위한 크라우드 펀딩에 5만 불을 기부했고, 2015년 자신의 재단을 통해 환경 보호 기구에 1500만 달러(약 171억 원)를 기부했다. 기부한 돈은 '아마존 워치', '세이브 더 엘리펀츠', '월드 와일드라이프 펀드'등, 각종 환경 보호기구를 통해 야생동물 보호 및 아마존 정글 보호에 쓰인 것으로 알려져 있다. 2015년에는, 넷플릭스 다큐멘터리 <소에 대한 음모(cowspiracy)>를 총괄했는데, 그 다큐는 축산업이 지구 온난화에 미치는 영향을 샅샅이 파헤쳤고, 주제를 확장해 동물권 및 올바른 지속 가능성에 대해서도 자세히 알아볼 수 있는 스토리로 알려져 있다. 또한 '레오나르도 디카프리오'는 2016년 88회 아카데미 시상식에서 남우주연상을 수상하며, 수상소감에서 '기후변화'에 대해 강조하며, 환경의 중요성을 이야기했다. "레버넌트는 인간과 자연의 교감에 관한 영화입니다. 지난해 역대 가장 더운 해로 기록된 우리 지구는 말이죠. 영화를 찍을 때 눈을 찾기 위해 남극 가까이로 가야 할 정도였습니다. 기후변화는 현실입니다. 지금 실제로 일어나고 있는 일입니다. 우리가 마주하고 있는 가장 시급한 위협입니다. 더 이상 미루지 말고 다 같이 힘을 모아야 합니다. 공해 유발자와 대기업의 대변인이 아니라 환경파괴로 가장 큰 피해를 입게 될 수십 억 보통 사람들을 위해 힘써줄 지도자들에게 힘을 모아 줍시다. 우리 아이들의 아들 딸들을 위해, 그리고 '탐욕의 정치'

로 소외된 사람들을 위해서라도 이제는 바뀌어야 합니다. 오늘 이 놀라운 상을 받게 해 주셔서 고맙습니다. 우리 모두 대자연을 당연한 것으로 생각지 맙시다. 저도 오늘 밤, 이 순간을 당연한 것으로 생각하지 않겠습니다. 감사합니다." 반성의 마음을 가질 수 있도록, 가슴속에 와닿는 멋진 수상소감을 발표했던 디카프리오. 그는 그 후, 다큐멘터리 영화 <홍수가 일어나기 전에 (Before the Flood)>를 찍었으며, 이 다큐는 제목에서 말하듯이 기후변화의 실상을 보여주며, 지구온난화로 전 세계가 홍수가 나기 전에 변화해야 한다고 촉구했다. 2019년 8월에는 아마존 산불 피해 복구를 위해 500만 달러를 기부, 2020년 5월, 그는 콩고 민주공화국 비룽가 국립공원 밀렵 감시대 활동을 돕는 '비룽가 펀드'를 조성했다. 20만 달러(한화 약 2억 4800만 원) 규모로 시작하는 비룽가 펀드에는 난민과 소외계층을 돕는 에머슨 공동체도 참여했다. 비룽가 국립공원은 멸종위기종 마운틴고릴라 약 300마리가 사는 곳이다. 안타깝게도, 마운틴고릴라는 '세계 자연보전 연맹' 레드 리스트에 위험종으로 분류됐고, 전 세계 약 600마리 성체만 남은 것으로 알려져 있다. 마운틴고릴라 멸종위기의 원인은 밀렵, 경작지 개발, 댐 건설, 외래종, 감염병, 수질 악화 등이었다. 하지만 콩고에서 일어난 내전 때문에 얼마 남지 않은 고릴라를 지키기 위한 싸움은 점점 더 어려워지고 있다고 한다. 30년이 넘는 시간을 배우로 활동했지만 여전히 최고의 자리를 지키는 할리우드 세기의 미남 디카프리오. 그는, 세계적인 환경운동가로, 유명한 '에코 브리티'였다. (에코 브리티 : 에코(Eco) + 셀러브리티(Celebrity)의 합성어로 환경 보호 라이프 스타일을 실천하는 스타들을 뜻하는 신조어) 그는 지구 환경 파괴는 빠르게 진행되고 있으며, 지구는 인간의 희생을 담보로 하는 곳이 되어선 안된다고 꾸준히 목소리를 내고 있다. 우리가 사는 행성, 지구의 밝은 미래를 위해 앞장서서 애쓰는 그는 정말 반할 수 밖에 없는 배우였다. 처음엔 그저 연기 잘하는 배우, 잘생긴 배우인 줄 만 알았던 디카프리오. 그러나 그의 마음속엔 지구와 생태계를 사랑하는 선한 마음이 가득했고, 그의 선한 영향력은 많은 사람들에게 전파되어 사람들을 뒤바꾸고 있었다.

어린 환경운동가, 그레타 툰베리.

나에게 영향력을 준 사람이 또 한 명 있다. 바로 어린 나이의 환경운동가 '그레타 툰베리'였다. 그녀가 연설하는 것을 우연히 영상으로 본 적이 있었다. "생태계 전체가 무너져 가는데, 무한한 경제 성장이나 돈을 논하고 있다니 염치도 없나요?" 2019년 뉴욕 유엔본부에서 진행된 기후행동 정상회의에 참석해, 각국의 정상에게 따끔한 일침을 날린 '그레타 툰베리'는 기후위기 시대의 환경 아이콘이 됐다. '그레타 툰베리'는 파리 기후변화 협약에 따른 온실가스 감축을 촉구하기 위해 2018년 8월 스웨덴 의회 앞에서 '기후를 위한 학교 파업' 시위를 시작했고, 700만 명 이상이 동참하는 '미래를 위한 금요일' 파업 시위를 촉발시켰다. 2019 타임지 '올해의 인물'에 최연소 선정, 포브스 '세계에서 가장 영향력 있는 여성 100인'에 이름을 올리는 등 세계에서 가장 영향력 있는 환경운동가로 꼽히고 있는 어린 소녀다. "사람들은 고통받고 있습니다. 사람들은 죽어가고 있습니다. 생태계는 붕괴하고 있습니다. 우리는 대멸종의 시작점에 서 있습니다. 하지만 당신들은 돈과 끊임없는 경제성장에 관해서만 얘기합니다. 도대체 어떻게 그럴 수 있습니까?"란 말과 함께, 우리에게 무엇이 잘못되었는지를 지적하며, 기후변화 대응을 촉구하고 있는 '그레타 툰베리'. 이제는 그녀와 같은 이들이, '기후위기시대'에 살아가고 있는 우리 모두에게 너무나 필요한 것 같다는 생각이 들어왔다.

조금은 '변화' 하고 싶다.

환경문제가 내 삶에서 결정적인 가치로 다가온 것은, 영화배우 '레오나르도 디카프리오'와 환경운동가 '그레타 툰베리'의 지구를 위한 올바른 활동들을 보고 난 후부터였다. 또한 생물학자 '최재천', 대기과학자 '조천호' 교수님, 영국 동물학자 '제인 구달', 마이크로소프트 '빌 게이츠', 테슬라 '일론 머스크', 아마존 '제프 베이조스'님이 지구, 생태계, 인류를 위한 좋은 세상을 만들어 가기 위해 펼쳐나가는 영향력 있는 활동들을 봐오면서, 평범한 나조차도, 지구를 위해 조금은 바뀌어 나가야겠다는 생각이 들어왔다. 그들의 의미 있는 활동들과, 환경영화, 다큐, 유튜브 영상, 책, SNS이야기들은, 환경에 대해 무지했던 내가 전환할 수 있도록 만들어 주었다. 환경이라는 것은 나와는 사뭇 동떨어진 일이 되어 버려, 그것에 대한 책임 따위는 전혀 의식하지 못한 채 "그런 걸 왜 신경 써? 나만 편하게 잘 살다 죽으면 되지!"라는 마음이 새겨져, 환경문제에는 깊은 관심 없이 냉정하게 차가운 눈초리로 외면하는 사람이 바로 이 전의 나였다. 너무나 간단히, 나를 둘러싼 환경문제는 내 삶과는 전혀 상관이 없었고, 생태적 개념들과 구체적인 환경활동은 내 삶에서 한참이나 떨어진 것이 문제였다. 환경에 관심이 없는 채로 살아갔던 때를 떠올리면, 내 소비행태는 한심한 수준에 머물러 있었다. 나는 내 삶의 안락함에 대한 집착에 의문을 제기했고, 결과적으로 그 생각은 나의 삶을 완전히 뒤바꾸어 놓았다. 이런 환경문제의 심각성을 느끼며, 앞으로 똑같은 인간으로는 살아갈 수 없을 것이란 예감에 사로잡혔다. 지구와 환경에 대해 무감각했던 생각에서 벗어나게 된 것이다. 언제부턴가 난, 지구를 위한 좋은 행동을 실천하는 셀러브리티, 그린플루언서, 지구를 사랑하는 사람들, 동물보호단체, 동물 애호가들, 환경운동, 환경단체, 봉사, 캠페인, 사업, 정치 등등에 대해서는 진심이 담긴 마음으로, 빠르게 호응하기 시작했고, 동물들이나 자연 전반에 대해 훨씬 더 긴밀한 일체감을 느끼고 감정을 이입하게 되었다. 내 의식의 지평은, 전혀 다른 차원을 향해 활짝 열리게 되었고, '환경문제'와, '생태계 문제'들은 머릿속을 사방 헤집고 다니며 나를 혼란스럽게 만들기도 했다. 동심이 담긴 나의 속마음에는, 동물이나 자연이 어려움에 처할 때면 깊이 도움의 손길을 내밀고 싶고, 그들과 친구가 되어 평화롭게 살아가는 세상을 상상하며, 그것이 현실에서도 이루어지면 좋겠다는 마음이 깊게 담겨 있다. 그런 세상이 오길 바라고 있다면, 그 세상을 위해 내가 할 수 있는 일들은 조금이라도 기꺼이 해야겠다는 생각이 들어왔다. "환경오염, 멸종 동물, 기후위기, 기후변화 등 이러한 지구의 문제점 대응을 위해. 나는 어떤 역할을 할 수 있을까? 경험과 노력으로, 몸과 마음의 건강을 스스로의 삶에서 실현하고, 그 방법이 필요한 이들에게 이야기를 들려주며, 개인 스스로의 삶이 좀 더 좋은 방향으로 개선될 수 있도록 돕는 것이 아닐까?" 지금의 나는 작은 실천으로, 에코백을 장바구니로 사용하고, 분리수거도 잘하고, 환경과 동물들을 위해 고기 먹는 것을 예전보다 절제하게 되었다. 아직 부족해보이는 일상생활의 환경실천 활동이지만, 앞으로는 지구를 위한 작은 행동들을 하나 하나 조금씩 더 실천해 나가야겠다는 생각이 들어왔다. 이제는 나이가 많든 적든, 세상을 향해 소리치고 있는 툰베리와 디카프리오 같은 이들의 모든 용기를 응원한다. 그들의 외침은 세상의 문제점을 지적해가며, 우리에게 대응과제에 대한 개선방안을 요구하는 것이고, 더 좋은 세상을 만들어나가기 위한 변화를 일으켜줄 참된 목소리이기 때문이다. 그들의 강한 외침에서, 나 또한 잘못된 현실의 흐름을 알아가며, 깊은 반성의 깨우침을 얻을 때가 있다. 그래서인지, 요즘 난, 겉모습과 외모의 출중함만을 추구하는 사람들이 멋져 보이는 게 아니라, 선한 마음을 가지고, 선한 영향력을 전파하고 있는 가치 있는 사람들이, 더욱 더 멋지다는 생각이 들어온다. 나도 무엇인가 내 주위 사람들에게 작지만 좋은 영향력을 전파할 수 있는 그런 사람이 되고 싶기도 하다. 내가 먼저 바뀌어야, 내 옆에 있는 지인들이 바뀌게 된다. 툰베리, 디카프리오처럼 무엇인가 지구를 위한 거창하고 커다란 행동을 할 수는 없겠지만, 무엇인가 작은 행동들을 실천해가고 싶은 굳은 마음이 생겨버렸다.

5부

지구를 사랑하게 되었다.

너무나 빈번하게 일어나는 '세계 기후재앙'

최근 150여 년 사이에 과학은 급속도로 발전을 해왔고, 그 결과 나는 살기 좋은 세상에서 살아가고 있다. 옛날 어른들의 이야기를 들어보면, 내가 지금 시점의 시대에 태어나 불편함 없이 이 세상을 살아가고 있다는 것에 너무나 큰 행복감을 느끼곤 한다. 이렇게 편안하게 살아갈 수 있는 세상을 만들어준, 기술발전을 일으켜 세운 분들께 너무나 감사할 뿐이다. 하지만, 살기 좋은 세상이 왔다 해도, 우리에게 다가오고 있는 것이 있다. 바로 '기후재앙의 위협'이다. 푸른별 지구를 위협하는 '기후위기','기후재앙'의 문제해결이 시급해보인다. 과학의 발전으로 자연과 생태와 환경은 돌이킬 수 없는 재앙으로 우리 인류를 위협하고 있었다. 이제는 전쟁에 버금가는 기후재앙이 현실이 되어버렸다. 세계곳곳에 이상현상이 발생되고 있으니 말이다. 녹색의 산과 갈색의 흙에 흰색의 구름이 조화를 이루고 있는 아름다운 푸른 행성 지구. 이제는 나도 모르게 빈번하게 일어나고 있는 환경문제와 생태계 문제에 저절로 관심을 기울이게 된다. 우리는 요즘 기후변화에 관한 정보 홍수 속에서 살고 있는 듯하다. 한 해도 거르지 않고 이상기후 소식들이 지구촌 곳곳에서 동시다발적으로 이어지고 있어 기후위기에 관련된 뉴스가 이제는 그리 놀랍지도 않을 정도다. 지구는 계속해서 뜨거워지고 있었다. 2021년 일어난 인류 재앙 소식만 보더라도 너무나 참혹스럽다. 2021년만 보아도, 최악의 기상이변으로 인한 기후 재앙이 세계 곳곳에서 속출했다. 터키, 그리스, 알제리, 이탈리아, 캘리포니아, 시베리아, 대한민국 안동 등등 곳곳에서 불길이 치솟았고, 독일과 벨기에를 비롯한 서유럽의 폭우, 중국 폭우/폭염, 런던 폭우 사태 등 세계 각국에서 동시다발로 발생되는 기후변화 재앙으로 인해 생존에 위협을 받고 있는 사람들이 많아지고 있었다. 이런 소식들은 전쟁에 버금가는 기후재앙의 현실이며, 계속해서 세계 곳곳에서는 이와 같은 상황이 발생되고 있다. '기후변화'는 이미 현실이 되었고, 기후 재앙 소식을 뉴스로 접할 때는 마음이 편치만은 않았다. 현 상황의 엄중함을 보여주는 자연재해 소식이 들려올 때마다 마음 한구석이 불편해져버린다. 자연환경을 지키지 않으면 어떤 대가를 치르게 될지 우리가 초래한 결과물인 이대로의 아픈 지구의 미래 모습을 생각하면 마음 한구석이 불편해져 버린다. 이러한 무서운 기후재앙이 발생하게 되면 우리는 속수무책으로 당할 수밖에는 없는 것이 현실이다.

이상 기후의 원인은 무엇일까?

이러한 이상 기후가 자주 등장하는 원인은 무엇일까? 전문가들은 이러한 기상 현상을 두고 온실가스로 촉발된 기후 변화를 원인으로 지목하고 있다. 기온이 상승하면서 폭염과 폭우 등 기상 이변 현상도 잦아졌다는 분석인데, 일반적으로 따듯한 공기는 습기를 더 품게 되고, 폭우가 발생할 가능성을 높인다. 이와 관련해 학자들은 지구 온난화가 강력한 폭염을 불러온 원인인지에 초점을 맞춰 연구를 진행하기도 했는데, 기후 모델을 통해 분석한 결과, 19세기 말 산업화 이후 지구의 평균 기온이 상승하면서 지금 같은 극심한 폭염의 발생 가능성을 최소 150배 증가시켰다. 실제로, 지구 온난화에 따른 폭염 발생 증가 그래프를 보면, 그 빈도가 2000년대에 들어 폭발적으로 증가했음을 알 수 있다. 지난 2018년, 과학계는 '산업화 시작 때보다 지구 평균 기온이 1.5도 상승하는 것을 막지 못하면, 연안 도시들의 침수부터 시작해 전 세계 여러 지역의 작황 실패까지 재앙적 결과가 나올 것'이라고 경고하였다. 이를 위해 전 세계적으로 2030년까지 탄소 배출량을 절반으로 줄여야 하지만, 탄소 배출량은 더 늘고 있으며, 지구는 무척이나 심각한 상황에 처해있었다.

1.5도 돌파할 시점, 20년 안에 지구가 '기후재앙 임계점'에 도달한다.

기후학자들은 지금 전 세계를 덮치고 있는 코로나19도 기상이변으로 생긴 것이라고 보고 있는데, 최근 10년간 지구의 평균 기온은 산업화 이전과 비교해 1.09도 높아졌으며, 파리협정에서 약속한 기후재앙의 마지노선인 1.5도까지는 0.41도 밖에 남지 않은 상태다. 1.5 도는 지구온난화의 임계점이나 마찬가지다. 그 이상 올라가면 기후재앙, 온난화 현상이 걷잡을 수 없이 확대되어 일상화되고, 상황을 돌이킬 수 없게 될 것이라며 과학자들은 경고한다. 지금까지는 1.5도 돌파할 시점을 2050년으로 예상했었지만, 그 예상이 2040년으로 조금 더 앞당겨졌고, 20

년 이내에 지구의 평균 온도가 산업화 이전보다 1.5도 이상 높아질 거라는 전망이 나왔다. 이 예측은 2021년 8월 초 'IPCC'가 6차 보고서의 요약본을 발표한 내용이다. 이날 공개된 보고서는 66개국 과학자 234명이 전 세계에서 만들어진 기후변화 관련 논문·자료 1만 4천여 건을 참고해 작성되었다.

IPCC는 어떤 곳이야?

기후변화에 관한 정부 간 패널(IPCC)은 기후변화와 관련하여 관련 학자들이 기후변화와 탄소중립을 위한 여러 연구를 진행하고 연구 결과물을 과학적으로 평가하기 위해 설립된 UN 산하 기구다. 유엔환경계획(UNEP)과 세계기상기구(WMO)가 1988년 설립하여 정치 지도자들에게 기후변화 위험에 관한 정기적인 과학적 평가를 제공하고 적응 및 완화 전략을 제시하고 있으며 전 세계 195개국이 회원으로 참여하고 있다. 이번 IPCC 6차 보고서는 2013년 5차 보고서 이후 8년 만에 발표된 것으로 2023년에 공개될 최종 보고서의 일부로 보면 된다. 이번 보고서에서는 인간이 배출한 온실가스로 인한 지구온난화가 과학적 사실이라는 점을 강조하고 있었다.

2019년 이산화탄소 농도
200만 년 중 가장 높은 수준

이번 IPCC 보고서에 의하면, 1750년경 이후 관찰된 온실가스 농도의 증가는 분명히 인간 활동에 의한 것이며, 2011년(AR5에 보고된 측정값) 대기 중 온실가스 농도보다 온실가스는 계속 증가해 2019년에는 이산화탄소(CO_2)의 경우 연간 평균 410ppm, 메탄(CH_4)의 경우 1,866ppb, 아산화질소(N_2O)의 경우 332ppb에 도달했다. 2019년의 이 같은 이산화탄소(CO_2) 농도는 최소 200만 년 중 가장 높은 것이고, 메탄(CH_4)과 아산화질소(N_2O) 농도는 최소 80만 년 중 최고로 높다고 평가했으며, 이에 따라 앞으로 20년 안에 지구 평균온도가 산업화 이전 대비 1.5도 높아질 가능성이 커졌고, 이러한 기후변화는 일부 화산활동과 같은 것에 영향을 받았지만, 대부분이 인간 활동 즉 인위적 활동에 의한 것이었다고 밝혔다. 지구온난화의 가속화. 우리는 어떻게 대응해나가야 하는 걸까? 예측할 수 없는 자연 속에서의 인간의 무력함. 보고서 속 미래 전망은 온통 죽음의 잿빛으로 가득하다.

지구를 망가뜨린, 산업성장사회

1960년 지구 화학자 '찰스 킬링'은 지구 대기 중 이산화탄소량을 측정해 매년 상승하고 있음을 밝혀냈다. 그 이후로 우리가 기후변화에 대응해 한 일은 거의 없기에, 기후변화의 원인인 온실가스의 배출량은 점점 늘어만 가고 있었다. 우리는 여전히 화석연료의 무절제한 채굴과 연소에 기대어 경제성장을 추구하는 가운데 숲과 땅에, 그리고 바다와 강과 대기에 치명적인 타격을 입혔고, 우리 삶을 가능케 해주는 생태계를 슬기롭게 관리하지 못한 채, 오히려 크게 망가뜨려버렸다. 일부러 그런 것이 아니었을지라도, 모질게 그리고 확실하게 망가뜨린 것은 사실이다. 지금 우리는 세상을 마구 써 되는데, 이러한 집단적인 광기로 몰아가게 된 것은 경제 시스템이었다. 이런 정치적인 경제 상황을 '산업성장 사회'라고 부른다. 이 사회 이면에는 산업 권력과 강력한 기술과 조직이 있지만, 오직 하나의 키워드는 '성장'으로 칭한다. 정치적 경제 사회에서 목표와 성공 척도는 얼마나 빨리 성장할 수 있는 가이다. 무엇이 성장하길 바랄까? 한 가지다. 오로지 하나. 이익뿐이었다. 마지막 남은 하나까지도 긁어내어 가져가려는 산업성장 사회의 총공격은 지구의 생명 체계를 한없이 무너져 흘러내리게 만들었다. 수십 년 전부터 지구는 회복할 틈도 없이 지구의 몸에서 원료를 뽑아내고 있었다. 모든 사람들도 알고 있다. 굳이 경제학자가 아니라 초등학생이라도 말이다. 하지만 제한된 세상에서 무한정의 자원을 뽑아낼 수 없다는 것을 어린아이들도 아는데, 어른들은, 무한정 성장할 수 없다는 걸 인정하면서도 성장 마니아들의 '이익'이란 중독은 계속 되어왔다. 당연하게도, 그러한 성장 덕분에 지금 나는 너무나도 편한 세상에 살고 있다. 나뿐만이 아니라 그러한 감정을 느끼는 사람들이 많이 있을 것이라고 생각한다. 산업성장사회는 우리나라가 옛날보다도, 편리하게 잘 살아갈 수 있는 세상을 만들어 주었다. 그러한 부분에 있어 너무나도 큰 감사함을 느낀다. 하지만, 이제부터는 굳이 무한한 성장만을 바라보며, 지구 자원을 긁어 가면서까지의 성장 사회를 만들어 살아갈 필요가 있을까.

풍요의 시스템으로 인한 현재의 위기

권용덕 (경남도의회 농해양수산위원회 수석전문위원)님이 경남신문에 기고한 글을 보면 이렇다.

"풍요의 시스템은 하늘로 땅으로 바다를 가르며 엄청난 양의 이산화탄소와 폐기물을 배출했다. 화석연료 사용으로 인해 매년 1조 t의 이산화탄소가 대기 중으로 방출되고, 세계 상위 1% 부자들의 탄소 배출량(15%)은 하위 50% 빈곤층(7%)이 배출하는 양의 2배에 이른다. 풍요의 불평등이 극심한 탄소 불평등으로 이어지고 있다. 1950~2015년 사이 생산된 83억 t의 플라스틱 중 59%는 자연에 버려졌고, 10%는 소각됐다. 이 가운데 연간 48만

~1270만 톤이 강과 호수, 바다로 들어가고 있다. 매년 지구상에서 태워져 사라지는 화석연료의 10%가 플라스틱을 만드는데 사용되고 있다. 심각한 대기오염과 차고 넘치는 폐기물 쓰레기는 인류가 배출하는 최악의 쌍둥이다. 현재 직면하는 위기는 자연현상이 아닌 인간이 초래한 것이다. 이러한 위기는 생태계 파괴, 기후변화, 온난화, 녹아드는 빙하, 높아지는 바다 수위 등 여러 곳에서 다양한 형태로 진행되고 있다. 인류의 식량 기반 우려는 현실이 되고 있으며, 난개발로 중남미와 카리브해 척추동물 94%가 이미 멸종하여 반세기 만에 생물 다양성이 68% 감소했다. 현재 위기는 엄청난 파국을 앞에 두고 있다."

@권용덕 (경남도의회 농해양수산위원회 수석전문위원)

주거니, 받거니

자연은 인간을 위해 존재하는 것이 아니라 인간과 더불어 함께 살아가는 소중한 존재다. 인간은 자연 위에 군림하는 것이 아니라 자연의 일부로서 자연의 보호와 혜택을 받으며 살아가고 있는 존재다. 우리가 잘 살아가기 위해, 자연에게서 그저 받으려고만 했다면, 이제는 자연에 대한 교만과 오만을 버려버리고, 자연의 소중함, 고마움, 존중의 마음을 지니며, 그동안의 발전으로 일으킨 최첨단 기술 활용의 시작으로, 무너져버린 위기 상태의 환경을 복원하려는 시스템을 목표로 둔 기술을 개발하기 위해 달려가야 하는 순간이 지금이지 않을까. 그동안의 성장과 발전의 욕구의 초점을, 이제는 순환 경제성장 도달의 목표를 가진 성장 욕구로의 변화를 통한 지구를 위한 산업, ESG에 가치를 둔 산업들의 발전이 필요할 것 같다는 이야기다. '주거니, 받거니' 하며 서로 사랑이 싹트고 더욱 더 커진다는 표현이 있다. 우리가 그동안 자연이 주는 선물로 잘 살아가기 위한 많은 성장을 이룩해왔다면, 이제는 무럭무럭 성장해온 그 힘, "POWER!"를 가지고, 위기로 물들여진 지구를 위해 돌려주어야 할 시기가 지금이 아닐까. 더 이상 변화 없이 살아갈 수는 없는 것이 지금의 현실이며, 대량생산, 대량소비, 대량 폐기하는 물질 위주의 산업 성장사회는 이제 그만 멈추어야 한다는 것이 지금 각국에서 거론되고 있는 이야기 중 하나다. 나는 "물질위주 산업 성장사회 STOP"이란 말에 지지할 수밖에 없었다. 이것이 우리들에게 내려진 Our Home, 지구를 지키기 위한 해답이며, 이 해답을 찾아가기 위한 미션, 과제라는 생각이 들어오니까.

'기후위기' 를 막기위한 대응은? 우주개발입니다.

지구온도가 지금부터 조금 더 오를 경우, 우리는 여러 복합적인 문제를 맞이하게 될텐데, 모든 분야가 기후변화로 인한 영향을 받지만 그중에서도 가장 큰 영향을 받는 부분이 바로 '농업'이다. 농업 분야는 개발도상국의 주요 식량 및 소득 원천이기도 하다. 이전 조사 결과에 따르면 2006~2016년 사이에 모든 가뭄 피해의 80%가 발생했다. 세계은행이 2017년에 발표한 데이터에 따르면 2011년 이후 가뭄은 매일 1억 8,000만 명에게 충분히 제공할 식량을 없애버린다. 이런 영향으로 많은 국가에서 심각한 식량난이 발생하고, 수많은 사람이 다른 나라로 이주해야 했다. BBC의 보도에 따르면 나이지리아의 라고스나 콩고민주공화국의 킨샤사 같은 대도시를 포함해 빠르게 성장 중인 도시들이 기후 변화로 가장 큰 위험에 처해 있다. 또한 기온 상승 및 기후 변화로 극단적인 위험에 처한 도시의 95%가 아프리카나 아시아에 있다.

기후변화는 삶과 죽음을 다루는 문제다.

전 세계 25억 명인 소규모 소작농, 목축업 및 어업 종사자 등은 지난 수년간 여러 환경 위협 때문에 인도주의적인 원조에 의존하는 비율이 높아졌다. 이들의 사업이 변화한 이유는 예측할 수 없는 날씨 패턴, 변화하는 계절, 자연 재해 등이다. <기온상승이 인간사회에 미치는 영향은?> MIT테크놀로지 리뷰의 최근 논문을 보면 기온이 오르면 무력충돌의 위험이 높아진다고 기록되어 있다. 2도가 올랐을 때 폭력횟수가 13%증가할 것이고, 폭력의 증가 주요원인은 '식량부족'이며, 식량으로 인해 식량을 두고 다양한 무력충돌이 계속 발생할 것이라고 한다. 2도가 상승시 폭력횟수 13% 증가, 4도 상승시 26%가 증가할 것으로 보여지며, 또한 지구온도가 지금보다 더 오르게 되면 식량을 가지기위한 전쟁이 시작된다고 보면 된다.

다른나라의 대응은 어떠할까?

선진국들은 이러한 지구의 '기후위기','기후변화' 문제점을 미리 대비하고있는 케이스들이 조금 있다. 미국 같은 경우는 '우주개발'이라는 이름하에 지구가 100억명이라는 인구를 견딜 수 없고 그 곳에서 발생하는 자연고갈, 오염, 이런 것들을 견딜 수 없기 때문에 결국에 미래의 인류는 '우주'로 갈 것이라고 예상한다. 아마존 CEO '제프 베이조스'는 지금의 지구는 앞으로 늘어만 가는 인구를 절대 감당할 수 없기 때문에 미래의 인류는 더 이상 행성의 표면에서 살지못할것이고, 태양계라고 하는 공간은 1조명의 인구를 먹여 살리고 부양할 수 있는 공간과 자원, 에너지를 갖고 있다고 말했다. 그래서 아마존은 블루 오리진 (블루오리진 : 제프베이조스사가 설립한 민간우주기업)을 통해 우주를 개척하고 있다. 답은? 우리가 지금 아마존에서 사는 신발 한켤레가 미래를 개척하는것이라 할 수 있다. 테슬라 CEO 일론 머스크와 기업인들도 우주개발에 노력을 가하고 있다. 여기서 중요한것은 너무나 빠른 과학기술의 발전 속도다. 비행기가 처음 만들어진건 1903년이다. 라이트 형제들이 개발한 비행기. (36m를 15초 동안 첫 비행) 1927년 찰스 빈드버그는 비행기를 타고 대서양을 횡단했다. 그리고 30년 뒤에는 소련에서 첫 인공위성을 발사하게 된다. 117년 밖에 되지 않는 세월동안 엄청난 발전의 인류과학기술. 그러면 앞으로 100년 뒤의 과학기술은 어떻게 될까? 정말 우리는 우주에서 살게 될 날이 오는 것일까? 영화에서만 보던 그런 일들이 현실에서 일어날 수 있다니, 사실 그런 상상을 하기에는 아직 쉽지만은 않았다. 하지만 과학자 '스티브 호킹'도 이런 이야기를 한 적이 있다. 화성으로 빨리 가야한다고. 그만큼 우주개발을 해서 화성에서 정착해서 살아가면 기후재앙을 해결하고 지구의 인류문제를 해결할 수 있다는 이야기가 아닐까. 제프 베이조스는 '기후위기' 때문에 우주로 나가야 한다고 주장하였다. 수백만명의 인간이 우주에 살고 일하면서 지구를 돕는 미래를 상상하며, "인류는 확장하고 탐험하여 새로운 에너지 및 물질 자원을 찾고, 지구에 스트레스를 주는 산업을 우주로 옮겨야 한다."고 말했다. 궁극적으로는 우주 공간에 빙글빙글 돌아가며 원심력을 중력을 만드는 식민지를 건설하는것이 목적이라고 한다. 일론머스크와 제프베이조스는 지구 밖의 새로운 환경을 개척하는 목표를 가진 점이 공통점으로 꼽히지만 이를 추진하는 방식에선 확연히 다른점을 보이고 있다. 일론 머스크의 최종목표는 화성 도시를 만드는 것이다. 현재 개발하고 있는 스타십 우주선과 슈퍼헤비 로켓을 통해 화성기지를 건설한 후 한번 발사시 100명씩 화성으로 보내 100만 화성 시대를 개척하겠다는 원대한 포부를 가지고 있다. 이와는 다르게 제프 베이조스는 우주 어느 공간에 지구와 같은 주거기지를 건설해 사람들을 이주시키는 목표를 가지고 있다. 제프베이조스는 2019년 워싱턴에서 열린 한 비공식 행사에서 "지구 자원이 감소하고 기후 혼돈이 심해지면 100만명 규모의 우주 주거단지를 만들어서 오갈 수 있도록 하고싶다."고 말했다. 두 억만장자의 자존심을 건 경쟁은 우주산업에 큰 획을 그을 것이라 전문가들은 전망하고 있다. 하지만 빌게이츠 마이크로소프트(MS) 창업자는 우주보다는 “백신이나 기후변화에 차라리 돈을 쓰겠다.”고 말했었던 적이 있다. 빌 게이츠는 카라 스위셔가 진행하는 팟캐스트 '스웨이'(Sway)에 출연해, "화성에 가는 게 그렇게 중요하지 않다."면서 "돈은 우주여행을 가는데 쓰기보단 백신과 기후변화에 쓰겠다."고 말하며 우주 탐사, 특히 화성 개척을 강조하고 있는 일론 머스크를 겨냥한 듯한 발언을 했다. 물론 우주개발도 중요하지만 빌게이츠의 말처럼 우리가 살아가고있는 Our Home, 지구의 이 땅을 잘 지켜내야하는 생각을 먼저 해야하지 않을까? 하지만 이런 기후변화나 기후위기문제를 해결하기위해 서로 토론해나가며 지구를 위해 힘쓰는 모습이 다들 너무 멋져보였다.

거대한 전환, 세 번째 혁명, “생태혁명”시대

만 년 전 신석기 시대에 인류는 정착해서 농사짓기를 시작하면서 잉여를 산출했다. 담을쌓고, 땅을 소유하고, 문자와 교역을 배웠고 저장고와 사원을 지었다. 그게 '농업혁명'이다. 수백년이 걸렸다. 이 정도 변화에 상응하는 두 번째 혁명은 3백 년 전에 영국에서 시작됐다. 증기엔진, 제분소, 광산 값싼 에너지와 함께 '산업혁명'이 벌어졌다. 산업혁명은 우리 자신을 보는 방식과 중요하게 생각하는 가치와 지구의 생명체를 이해하는 방식에도 영향을 끼쳤다. 산업혁명부터 지구를 추출할 자원의 저장고나 쓰레기를 쏟아붓는 하수구로 보기시작했다. 우리의 세상을 죽였고 인간끼리 대결했다. 필요한 걸 얻기 위해 경쟁은 첨예

화되고 필사적이 되었다. 결국은 제로섬 게임인 걸 놓고말이다. 이후에 산업혁명이 가져온 편안함과 에너지에 우린 점점 의존하게 되었다. 이런 변화를 과소평가하는 건 아니지만 이제 통제불능상태에 빠졌다. 시스템의 고삐가 풀려버렸다. 그래서 지금 근본적인 변화가 떠오르고 있는데 이 변화를 이 시대의 '세 번째 혁명'이라고 한다. 지구정책 연구소의 레스터 브라운은 이것을 '생태혁명'이라고 했다. 보통 '거대한 전환'이라고 한다. 미래 세대를 생각할수록 우리는 점점 더 큰 몰락으로 다가가는 것 같아보인다. 미래세대에게 과연 무엇이 남아있을까? 이 질문이 내 마음을 치기 시작했다.

과연 우리는 무엇을 해야하는가?

가장 눈에 띄는 건 '행동주의'라고 부르는 운동일 것이다. 평화, 정의, 환경을 위한 행동주의! 산업성장 사회의 파괴 속도를 늦추려는 모든 행동이 포함된다. 정치적이고 법적인 노력과 법제화하고 규제화하려는 노력 모두가 포함된다. 직접적인 행동 말이다. 이런 행동의 목적은 시간을 버는 것이다. 파괴 속도를 늦추기 위해 말이다. '행동'은 '생명'을 구하고 '생물종'을 구하게 될 거라고 생각한다. '생명지속사회'로 거대한 전환을 하려면 새로운 구조와 행동방식이 필요하다. 집단 행동의 새로운 양식과 새로운 방식이 필요하다고 생각되는데, 이러한 '기후재난'이 현실로 벌어지고 있는 상황을 보고있으면, 미래에 넘겨줄 이 삶을 사랑하고 미래를 위해 활동하고 싶다는 마음이 들어온다. 그래야 후손에게도 숨 쉴 공기와 마실 물이 있고 경작할 땅이 있을테니까. 나중에 후손들이 우리를 떠올리며 이렇게 말한다고 상상해본다. '우리의 선조들이 그때 거대한 전환에 참여하셨구나!' 그만큼 중요한 일이다. '농업혁명'과 '산업혁명'에 버금갈 만큼, 더 빨리 진행되어야 한다. 좋은 소식은 지금 그러한 운동이 많이 펼쳐지고 있다는 것이다. '폴 호켄'은 이런 움직임을 '축복받은 불안'이라고 했다. 인류 역사상 가장 위대하고 광범위한 사회운동이라고 했다. 우리가 지금 이 시대를 산다는 건 정말 행운이라는 생각이 들어온다. 기지의 힘을 발휘하고 용기와 상호연결에 대해 지금까지 배운 모든 걸 지금 투여해서 쓸 수 있으니 말이다.

아무런 관심이 없는 사람들

과학자들은 기후변화에 대한 경고가 현실에서 반영되지 않고 있다고 목소리를 높인다. 20세기에 짜놓은 현재의 재난대응체계로는 최근의 기상이변에 대응할 수 없다는 것이다. 하지만 무엇인가 경고에 대한 소통 체계가 잘못되어 있는 것일까. 많은 이들의 눈에는 이러한 파괴가 아직 뚜렷이 보이지 않나보다. 정말 우리가 위험에 처해 있다는 것을 잘 모르고 있는 것 같다. 자연재해의 빈도와 강도가 계속 높아지고 있음에도, 우리는 아직 그 관련성을 온전히 깨닫지 못하고 있는 것 같아보인다. 많은 수의 사람들은, 과학을 이해하고, 증거를 인정하지만 아무런 행동도 취하지 않는다. 어떻게 해야 할지 몰라서, 또 기후변화

같은 것은 생각하지 않는 편이 훨씬 마음이 편하기 때문이다. 마치 아무일도 없다는 듯, 막을 도리가 없다는 듯 행동하는 편이 기분이 나으니까. 지구가 이런상황까지 처해진건 우리의 지극히 평범한 일상생활 때문이 아닐까? 하지만 그럴 때 우리는 뉴스를 끄고, 자신이 덜 위선적으로 느껴질 만한 다른 일에 주의를 돌린다. 지금 이렇게 지구가 심각한 상황인데 우리는 별로 관심이 없는 듯, 그저 자신의 일에 집중하기 바쁘다. 한쪽편에서는 환경의 위기 심각성을 알아 세상을 구하겠다고 하고, 다른 쪽은 정시에 출근하며 자신의 삶을 살기 바쁘다.

우리를 구할 작은 움직임이 필요하다.

양측 모두 자신과 가족의 생존을 두고 염려한다는 점은 같아보이지만, 세상의 변화는 우리의 작은 움직임이 모여야 이루어 지는 것이 아닐까? 기후변화는 지금도, 앞으로도, 우리가 어디에서 태어나 살고 있던 간에 우리 모두에게 영향을 미칠 것이다. 극심한 자연재해가 새로 일어날 때마다 기후변화를 '믿지 않는' 태도가 얼마나 무책임한 것인지도 더욱 자명해질 수 있다는 이야기다. 지금 현실에 안주한다면 우리에게는 결핍과 불안정과 갈등의 미래가 있을 뿐이다. 우리는 기후변화라는 문제를 '해결'할 수 없다. 그러기엔 이미 파괴의 길에 너무 깊숙이 접어들었기 때문이다. 지금까지의 인류를 덮친 비극들은, 자연을 존중하는 자세 없이 우리 삶과 생계를 영위할 수 없음을 뚜렷이 보여주었다. 우리가 사는 터전이 이렇게 계속 파괴되어 간다면, 앞으로 내가 늙은 할머니가 되어 지구란 이 땅에서 살아갈때, 먹고살 음식을 쉽게 장만하고, 나와 아랫세대들의 거주지의 안전을 보장 받을 수 있을지는 정말 의문이다. 지구는 긴박한 상황에서 손을 내밀어 달라고 우리에게 신호를 보내고 있다. 대기 속에는 온실가스가 이미 너무 많이 쌓였고 생태계는 너무 많이 변해버려서 지구 온난화와 그 누적된 효과를 원래대로 되돌릴 수는 없다. 우리와 후손들은 영원히 바뀐 환경 속에서 살 수밖에 없게되는 것이다. 멸종한 생물도, 녹은 빙하도, 죽은 산호초도, 파괴된 원시림도 되살릴 수는 없다. 우리가 할 수 있는 최선은, 변화의 폭을 감당할 수 있는 범위로 억제해 총체적 파국을 피하고, 거침없이 증가하는 탄소배출로 일어날 재앙을 막는 것뿐이다. 푸른별 지구를 위협하는 '기후변화'의 문제해결이 시급해보인다. 이젠 정말 이러한 기후위기에 대응하기 위한 빠른대책과 행동들을 취해야 할 시기다. 당장 기후위기 대책에 속도를 내지 않으면, 극한 기상 현상 빈도가 증가할 것이기 때문이다. 인류가 기후변화의 주범이고, 기후변화에 대한 과학적 논쟁도 끝났고, 우리의 결단과 행동만 남은 지금의 상황. 이제는 급하게 인류가 지구에서 함께 잘 살아갈 방법을 찾아가야한다는 생각이 절실하게 들어왔다. 그러면 적어도 위기는 벗어날 수 있을지 모른다. 거기까지는 우리가 해야 하는 최소한의 일이다. 하지만 그 이상도 해낼 수 있다고 생각한다. 지금 기후변화의 원인에 대처한다면 위험을 최소화하면서 동시에 더 강해질 수 있다고 생각한다. 지금이야말로 안정된 미래를 넘어 더 나은 미래를 만들, 더 없이 좋은 기회다. 비록 엄두가 안 나고 벅차 보일지라도, 인류는 기후변화를 헤쳐나갈 저력이 있다. 그 사실을 잊지 말고 단호한 낙관의 자세를 가져주길 당신에게 요청한다. 지금 세상을 사는 우리에게는 건강하고 번성하는 미래를 우리 손으로 빚어나갈 엄청난 특권이 주어져 있다. 우리는 소중한 것을 함께 지켜낼 힘이 있다. 그리고 지켜내지 않으면 안 된다. 대개 인류가 앞으로 계속 이대로 살아간다면 비극적인 종말을 맞이할 것이고, 지금부터라도 우리 인류가 삶의 방식을 바꾸어야 될 것 같다는 생각이 깊이 들어온다.

그린 메신저가 되고 싶다.

아무런 행동도 취하지 않는 사람들을 보면, 예전의 내가 기억이 난다. 나도 세상의 흐름과 우리집 지구에는 전혀 관심이 없는 "이 공간에서 그저 나만 잘 먹고 잘 살다 편하게 죽으면 되지!"라는 생각을 가진 바보머리의 백지 상태인 아이였다. 그저 보여지는 것에 대한 아름다움을 찬미하는 예술문화를 좋아하는 아이. 하지만 시끄러운 환청의 고통과 아픔에서 조금이나마 벗어나니, 지금의 내가 너무나 행복한 아이구나라는 사실을 깨달았다. 다시 나의 일로 복귀하기 위해, 그런 생각을 해본다. "지금의 나는 이제 세상에 어떤 것을 표현하며 살아갈 수 있을까? 내가 가진 지금의 이 능력으로 무엇을 할 수 있을까?" 어떻게 하면 앞으로 닥칠 무서운 미래를 실감나게 전달할 수 있을까? 이제는 치열하게 고민하며 인류가 살아온 방식을 바꾸어야 한다는 메시지를 전달하고 싶다는 생각이 들었다. 지구위기 대응을 위해, 나라는 사람이 할 수 있는 방법은 나 자신의 경험과 노력으로 몸과 마음의 건강을 스스로의 삶에서 실현하고 그 방법이 필요한 이들에게 알려주고 스스로 개선될 수 있도록 돕는 것이 아닐까. 지구상에서 먼지 조각같이 작은존재인 내가 쉽게 실천할 수 있는 방법은 개인 SNS 환경컨텐츠 제작이나, 지구/환경보호에 대한 이야기들을 SNS에 공유하는 것이었다. '그린플루언서'가 되겠다고 자처한 이상 지속적인 SNS활동으로 조금이라도 우리 사회와 아이들의 쾌적한 미래를 위해 조금이라도 보탬이 되고싶다는 생각이 들어왔다. 나와 20살때부터 친해진 한 언니가 있다. 예전에는 발레를 하며 순수예술을 지향했던 독특한 개성을 가진 몽상가 언니였다. 언니의 상상력과 나의 상상력. 예술문화를 사랑하는 부분이 공통 분모였기에 우리는 서로 이야기를 나누며 점점 친해졌다. 예전에는 파리, 런던을 다니며 '패션키드'가 되고 싶어했던 언니는 태국에 거주하며 새로운 공부를 하고 '비에꼴'이란 친환경 브랜드를 만들어 냈다. 브랜드, 스타일, 디자인, 공동

체의 약자로 "Brand Design Style Collective 비디에스 꼴렉티브"를 줄여서 "비에꼴 BDSC"이란 브랜드를 런칭했는데 환경보호에 앞장서는 브랜드 철학이 너무나 멋져 보였다. 언니가 이 브랜드를 만들게 된 제일 큰 모토는 '일상생활 속 소품을 자연소재로 바꿔보자.'란 생각이었다. 전 세계적으로 유행하고 있는 바이러스 코로나19로 인해 사람이 많이 모이는 곳은 금지, 집콕생활이 권장받고 있었을 그때, 우리가 기댈 수 있는 곳은 자연이 아닐까 싶어, 언니는 끊임없이 새로운 아이디어를 모색하였고, "내가 사는 집이 그 집이었으면 좋겠어. 니가 있는 그 옷이 내 옷이었으면 좋겠어. 자연에서 취득할 수 있는 재료가 뭐가 있을까. 그걸로 무엇을 만들 수 있을까?" 묻고, 생각하면서 '비에꼴'이란 브랜드를 만들어 냈는데, 언니와 지구를 사랑하는 마음까지 동일해지다니, 너무나 신기했다. 나는 비에꼴 팀원이 되어 환경관련 뉴스나, 브랜드 소식의 컨텐츠를 발행하며 일을 했다. 우리는 세기를 거듭하며 인간은 더욱 많은 발명품과 기술적 발전을 이루게 되었지만, 망가진 생태계를 복구시키기란 어렵게 되었고 오존층에 구멍이 날 거라고는 예상하지 못했다. 지구온난화로 빙하가 녹아도 '나'랑은 관계없는 일이라고 생각하고 있는 분들이 많이 계신 듯 하다. 원래의 나도 그랬으니까. 지금 우리는 어떤 곳에 살고 있나? 내가 살고 있는 지구의 반대편에는 분해되지 않는 쓰레기로 인해 쓰레기 산에서 아이들이 뛰어놀고, 죽음을 면치 못하는 동물들의 숫자도 급증하고 있다. 이제 '비에꼴'은 조금이나마 이런 환경문제에 대해 사람들에게 인식시켜주고 '재활용'과 '재사용'에 대한 컨텐츠와 자연소재로 만든 제품 발굴 노력으로 단지 '나'만을 위해 사는 것이 아니라 우리의 집, '지구'와 '환경'이 함께 살 수 있는 그런 미래를 그려나가고 있다. '이거 아무리 써도 안 닳아', '한 번 쓰고 버리면 되지!' 이러한 인식이 제품에 대한 칭찬이 되지 않도록 새로운 기준이 정립될 수 있게 '비에꼴'은 노력하고 있는 중이다. 자연소재로 만들어져 언젠가는 수명을 다하는 제품들이 올바른 가치가 될 수 있도록 말이다. 지금은 비에꼴과의 일은 종료되었지만, 나는 SNS로 그린플루언서로 계속해서 활동을 하고 있다. 모든 사람들은 자신만의 1인 전파력을 지니고 있다. 이제 나는, 모든 사람들이 공유할 수 있는 SNS에 기후위기, 환경문제, 동물 문제 등을 공유하며 내 가까이에 있는 주위 사람들에게 이 문제점을 받아들이게 하고, SNS를 통해 환경문제를 인식한 사람들이, 자신의 지인들에게 이 문제점을 뿌리고 뿌리는 단계까지 가길 원한다. "주변 사람들이 심각한 지구문제를 인식하고, 작은 행동의 실천까지 이어진다면, 기후위기 대응으로 좋은 방법이 아닐까? 내가 할 수 있는 일은, 내 주위에 있는 사람들에게 먼저 알리는 일이야!"란 생각이 들어왔기 때문이다. 앞으로는 지속적인 SNS활동으로, 지구 & 환경에 대해 공부하며 배운 점들이나 환경이슈들을 공유하는 '그린플루언서'로 활동하면서, 우리 사회와 아이들의 쾌적한 미래를 위해 조금이라도 보탬이 되고 싶다. 또한 다양한 환경 주제를 통해 시야를 넓히며, 녹색성장의 가치와 녹색문화의 필요성을 전하고, 녹색성장 지식 확산의 디딤돌이 되고 싶다는 생각도 들어왔다. 오늘도 어제와 같은 생각을 해 본다. "나의 작은 활동들이 지구에 조금이라도 도움이 되었으면 좋겠어. 지구가 더 이상 아프지 않고, 모든 생태계와 인류가 행복하게 살아갈 날이 오길 바랄 뿐이야." 이제 누구나 쉽게 사용할 수 있는 SNS. 당신도 우리가 살아갈 아름다운 지구를 위해 '그린플루언서'활동으로 아픈지구가 회복되길 바라는 마음을 가져보는건 어떨까? 아름다운 우리집 '지구'에서 함께 행복하게 살아갔으면 하는 바램으로 말이다. 우리는 70억 명 중 한 명일 뿐이지만 내 자신이 지구를 위한 마음을 가지고 변화한다면 세상에 변화에 한 몫 할 것이라 믿어본다.

6부

나는 단순하게 살기로 했다.

나에게도 좋고, 지구에게도 좋고,
소소한 생활의 행복.

시끄러운 고통의 생활을 접고, 제2의 인생을 시작해나가기 위해, 무엇인가 좋은 것을 채우기 위한 '비움'이 나에겐 꼭 필요했다. 무엇인가 복잡하고 혼란스러운 나의 머릿속을 비워내고, 매일매일 홀가분해지고 싶은 욕망이 가득했기 때문이다. 그 비움을 위해, '자신'을 돌아보는 것에서부터 시작된 인생철학으로 베이직 미니멀라이프를 추구하게 됨으로써, 나는 이제 '소소하고 사소한 생활'을 중시하게 되는 여자가 되어버렸다. 맥시멀 리스트였던 내가, 시간이 지나 180도 달라져 버린 것이다. 어린 시절의 난, 치장하길 좋아하고 유행에 민감했기에, 사고 싶은 게 있다면, '소비하고 소유해야만 무엇인가 만족스럽다'란 생각을 하곤 했었다. 또한 원하는 게 있다면, 이루어야지만 직성이 풀려버린다는 욕망의 만족을 위해 살아왔던 것 같다. 하지만 시끄러운 고통에서 벗어나 지구, 환경, 생태계에 관심을 가지게 되어버린 그 이후, '이젠 미니멀리스트의 미니멀라이프로 살아가고 싶다.'란 마음이 새록새록 싹튀어 생겨났다. 우리가 많이 소비할수록 지구의 한정된 자원의 소비는 너무나 크게 증가하고 있었기 때문이다. 무분별하게 사용하는 물건들 때문에, 지금 Our Home 지구와 생태계는, 심각한 위협을 받고 있다. 이러한 지구를 위해 우리 모두의 삶이, 지구 보존을 위한 움직임으로, 약간은 불편해져버리는 녹색생활방식에 익숙해진다면, 원래의 옛 상태의 완전한 깨끗함의 지구로는 돌아갈 순 없겠지만, 지금보다는 조금 더 아름다워질 수 있을 것이라는 생각이 들었다. '미니멀리스트'의 사전적 의미는 어떤 목적 등을 이루는 데 필요 이상의 것을 완전히 억제하려는 사람을 일컫는다. '미니멀리스트'란 최소 주의를 뜻하는 '미니멀'과, '미니멀리즘'에서 파생된 단어로, 한 마디로 말하자면 '최소주의자'라고 할 수 있다. 필요 없는 것들을 버려버리고, 말끔히 비워내는 '최소주의자'라고 할 수 있는데, 자신의 존엄과 행복, 타자와의 공존을 위해서 최소한의 삶을 살아 간다는 것이 내겐 너무나 매력적이게 느껴지는 삶의 모습이었다. 한 마디로, '미니멀라이프'는 나와 지구를 웃게 만들 수 있는 생활방식으로, 필요한 물건만으로 자신의 생활을 꾸려 나가고, 사용하고 있는 물건에 더 많은 애정을 가지고 오래도록 사용하며, 짧은 시간 안에 쓰레기가 되는 것을 막는 제로를 향한 움직임으로 살아가는 삶이다. 소소하고 사소해서, 애걔~하고 웃을지도 모르겠지만, 할 수 있는 것부터 하나씩 생활 속의 실천으로 가져오다 보면, 삶을 근본적으로 풍요롭게 해 줄 새로운 삶의 양식이 바로 '최소주의의 미니멀라이프'였다. 지구에게 너무나 무겁지 않도록, 스스로의 소비를 늘 점검하는 습관을 실천해나가며, 그 무게를 조금 더 가뿐하게 줄여나가는 삶은, 오히려 나에게 힐링을 가져다줄 따뜻한 온기의 삶인 것이 분명했다. 그래서 난, "이젠 홀가분해지고 싶다!"란 바람이 이끄는 대로, 머릿속의 복잡한 생각을 리셋하고, 나의 생활에서 필요치 않은 물건들을 차근차근 줄여 나가기 시작했다. 이렇게 삶을 정리해나가는 '비움'의 생활은, 어느 순간 넘쳐흐르기만 했던 숨 막히는 복잡함의 문에서 탈출할 수 있도록 도와주었고, 단순하고 조용한 생활에 접속해야만 느길 수 있는 작은 행복의 문 앞에 설 수 있게 도와주었다. '불필요한 것들은 나에게 전혀 필요치 않다'란 이러한 마음은, 시원하고 넓은 바다와 같은 마음속, 잔잔함 흐르는 평온한 파도의 물결과도 너무나도 닮아 보였다. 인생에 있어서 어떤 게 답이라고 정의를 내릴 순 없겠지만, 나의 삶에 대한 인생의 해답은 '미니멀리스트로서의 미니멀라이프'를 살아가는 것이었다. 나와 지구를 위한 마음으로, 불필요한 것을 하나하나 정리해 나가는 삶을 살아간다면, 삶과 마음은 더욱더 여유로워지며, 어떠한 물질을 소유하기 위한 소비로 찾아다니게 되는 먼 곳의 행복이 아닌, 두 눈 가까이에 있는 기분 좋은 작은 행복감을 금방 찾아볼 수 있었기 때문이다. '비움'의 일상은, 사소한 것에서도 잦은 행복감들이 다채롭게 숨겨져 있다는 것을 깨닫게 해주었다. 이제는 현란하게 장식적인 물건 소유를 욕망하게 만들어 내는 유혹의 소리들은 '지지직 지지직', 라디오의 시끄러운 '잡음'처럼 들려온다. 삶에서 꼭 필요하고 간단한 요소들만이 모여 조화를 이루는 '심플함'을 추구할 때, 긍정적인 마음가짐의 삶이 지속되어 정신적 자유를 누릴 수 있다는 깨달음을 얻었기에, 최소한의 삶을 지향하는 '미니멀리즘'은 지금의 나에겐 너무나 중요한 인생철학으로 자리

잡게 되었다. '나에게도 좋고 지구에게도 좋고, 너무나 멋진 삶이야!'란 생각과 함께 말이다. 이젠, 너무나 많은 소유물 관리에 내 시간과 에너지, 노력을 쏟아내는 생활이 너무나도 싫다. 물질적 소유를 줄이고, 미래를 지향하는 목적이 있는 삶을 꾸며가고, 소중한 인간관계를 이어나가는 것. 그리고 Our Home 지구를 사랑하는 것. 그것이 내가 지향하는 삶의 방식이 되어버렸다. 딱히 무엇인가 많은 소유물이 필요하다는 기분을 느끼지 않고, 쓸데없는 것에 괜한 시간을 들이지 않으며, 그리 많은 돈도 쓰지 않게 되는 지금의 내 모습이 좋다. 마음만은 커다란 부자이다. 또한 약간의 흐뭇한 미소를 띄어가며, 좋아하는 일에 몰두하고 있는 지금의 내 모습도 너무나 마음에 들어온다. 아마도 한 번뿐인 인생의 길에 있어, 당신이 이루고 떠나가고 싶은 버킷리스트의 미션들은 이 세상에 아직 남겨져 있을 것이다. 나 또한 내 삶의 목적과 버킷리스트들을 이뤄나가기 위해 그려나가게 될 과정들을, 방향의 길로 잡아, 한 발자국씩 천천히 걸어나가며, 오늘 하루 일상을 보람차게 보내본다. 그리고 머릿속에서 이런 생각을 되뇌어본다. '적을수록 좋다. 적을수록 적은 물건의 소중함을 알게 되고, 보물처럼 아끼게 되니까.' 우리는 코로나19 바이러스 시대. 기후 위기 시대 속에서 살아가고 있다. 나와 지구. 우리를 위한 지속 가능한 사회를 만들기 위해 우리가 할 수 있는 방법을 같이 고민하고, 실천해 나가게 된다면, 그것이 문화가 되고 자연스러운 삶의 모습이 되어 돌아오지 않을까? 그냥 나와 제일 가까운 사람들에게 용기 내어 먼저 말하고 싶다. "삶이 간결할수록 마음은 더욱 더 여유로워지고, 풍요로워진다."라고. 우리가 이 지구위에서 좀 더 가볍게 살아가면 갈수록 현재와 미래의 세대들이 살아갈 지구는 한층 더 깨끗하고 더 건강하며 더 아름다워 질 것이다.

우리 삶의 양식을 바꿔야 한다.

"지구 생태계에 계속되는 악화의 주된 요인은 지속할 수 없는 소비 형태와 생산의 패턴 때문이다. 특히 빈곤의 악화와 불평등이 심화되고 산업화된 나라들에게 더 더욱 심각하게 나타난다."@아젠다 21

지금 이 순간에는 지구 생태계에 존재하는 모든 생명체가 멸종하고 있었다. 공룡이 사라진 6500만 년 전 이후로 가장 큰 규모라고 말할 수 있는 멸종을 우리는 경험하고 있다. 그 사실이 어떤 것보다도 가슴 아프게 한다. 지구의 자원 중 3분의 1이 이미 고갈되었다. 그런데도 현재 소모 기준을 해결하려는 노력을 전혀 기울이지 않고 있다.

단지 인간만의 이익을 위해 자연에게 무책임한 행동을 일삼을 뿐이었고, 우리 대부분은 거의 매일의 일상에서 우리의 행성을 오염시키는데 일조하고 있다. 하지만 지금의 우리는 선한 의도를 가지게 되었고, 지구의 자원 고갈로 인해 염려하고 있다. 또한 우리가 사는 삶의 방식의 변화가 필요하다는 인식이 폭넓게 받아들여지고 있다. 더 소박하고, 충만한 삶을 살기 위해서 주류사회(적어도 어느 정도는)로부터 벗어나는 것을 선택하는 것은 이 시대의 변화의 한 측면인데 그것은 이 시대의 종말이 매우 가까워졌다는 인식에서 비롯되었다. 이제는 더 이상 그런 무관심이 지속되게 해서는 안 된다. 무엇보다도 지금의 물질적인 번영의 흐름이 양산하는 낭비를 대체할 수 있는 대안이 필요한데, 그것이 바로 소박한 삶이다. 이제 곧 검소한 생활이 단순히 바람직한 삶의 모습이라고 증명될 뿐만 아니라 의무적으로 살아야 하는 모습이 될 것이다. 검소하게 사는 것을 선택해야 할 이유는 자본주의적인 착취와 기술로 인한 지구 환경의 황폐화로 인한 결과가 후손에게 고스란히 전가될 수 있기 때문이다. 사회를 변화시키고 싶다면 그와 동시에 우리도 변화해야 한다. 우리가 살고 있는 집, Our Home 지구를 사랑해야 하는 것은 매우 당연한 일이다. 우리가 계속 탐욕으로 욕망으로 살아가기만 한다면, 지구는 곧 더 이상 현재 우리 삶의 방식을 지탱해 주지 못할 것이다. 생태학적이고 인간적인 재난 모두를 면하기 위해서라도 빠른 시일 내에 변화가 필요한 시국이다. 지구를 치유하기 위해 지구를 황폐하게 하는 방식에서 지구를 살리는 존재양식으로 현대의 산업 문명을 전환하는 임무가 우리들에게 주어져야 한다. 우리가 현재와 같은 수준을 계속해서 유지한다면 지구가 더 이상 감당할 수 없을 정도의 한계에 거의 도달할 것이라는 인식이 서서히 확산되고 있다. 낭비가 심한 서구적 생활방식의 확산은 분명히 끔찍한 결과를 가져올 것이라는 생각이 들었다. 우리가 너무나도 당연히 여기는 안락함과 편리함. 산업화된 사회에서 더 적은 것으로 살고 덜 가지는 것을 원하고, 소박한 삶을 자발적으로 선택하는 삶을 추구한다면 얼마나 좋을까. 지구상에서 10억의 사람들은 기아로 죽어가고 다른 10억만 명의 사람들은 과식으로 인한 질병으로 죽어가고 있다. 지금까지 진보된 기술화는 컴퓨터와 이동전화로 많은 이들에게 이로움을 주고 있다. 컴퓨터와 스마트폰은 전 세계를 하나의 획일화된 글로벌 문화로 만들어버렸다. 이 좋은 세상에서 살아가고 있기에 우리들은 소박한 삶을 언제든지 찾아갈 수 있다. 좀 더 다양하고 지속할 수 있는 삶의 방식을 더욱 더 빠르게 추구할 수 있다.

착한 소비가 필요해.

부자. 부자. 부자. 부자가 되고싶길 희망하며 도전하고 쟁취하는 사람들이 많아지고 있는 시대다. 돈이 많으면 과연 좋을까 생각해 본다. 아파하며 지구에 살아본 경험이 있는 나에겐, 내 삶에 있어 건강이 최고로 다가온다. 100억의 많은 돈이 나에게 있으면 뭐 하리오. 건강이 없으면 내 인생에는 마이너스가 펼쳐지는데. 건강하면 뭐 하리오. 지구가 사라지는데. 지구가 사라지면 우리도 없다. 그렇기에 우리는 지구를 위해 살아가야만 한다. 우리 모두 지구를 생각해야 할 때다. 요즘 많은 기업들이 저탄소 배출에 많은 동참을 하고 있다. 내가 살면서 이상기후가 이렇게나 와닿은 적은 없었던 것 같은데, 작년보다 올해가 가뭄, 산불, 태풍이 잦은 뉴스가 들려오는 것이 지구가 많이 아프다고 우리에게 신호를 보내는 것 같다. 지구가 아프면 그 영향은 우리에게 재앙이기에, 내가 할 수 있는 최소한의 노력을 해야 되지 않을까? 지구를 위해 조금은 불편한 삶을 살아도 되지 않을까? 우리에게도 지구에게도 좋으니까. 오늘의 부요함을 위해 내일의 찬란함을 가로채서는 안 된다. 지금은 존재하지만 내일이면 사라질 것들이 너무나 많다. 인간의 편의를 위해 탄소와 플라스틱이 만들어졌고, 인간의 편의 때문에 많은 것들이 본래의 모습을 잃는다. 그렇기에 나는 아끼고 덜 소비하고 생각해 본다. "내가 잠깐 편하자고 얼마나 많은 것들이 희생되어야 하지?" 그렇게 생각하다 보면 절로 스몰 라이프를 살게 된다. 지구는 과잉소비로 인해 한쪽에서는 무분별한 개발이 진행되고 한쪽에서는 어마어마한 쓰레기가 쌓이고 있다. 대지와 해양오염은 심각하고 지구는 날로 더워지고 있으며 이대로라면 수십 년 안에 지구는 생물이 살기 불가능한 상태로 바뀔 수 있다. 아는 것만으로는 아무것도 바뀌지 않는다. 우리 다 같이 파도타기를 해보자. 소비자가 환경을 위한 소비를 하면 그에 반응하는 대기업의 생산 변화에 영향을 미치게 된다. 생산자가 소비자의 목소리에 더 민감하게 반응하고 소비자는 환경보호에 힘쓰며 서로 시너지를 일으킬 것이다.

"우리는 여전히 지나치게 욕심을 낸다. 어떻게 하면 그 욕심을 지구에게 나눌 수 있을까? 지구를 살려내기 위해 욕심을 부릴 순 없을까? 더 많이 갖고 더 잘 살려고 한 욕심이 결국 생태계를 망친 것이다. 그 욕심은 어느 한 사람에게만 있는 게 아니라 우리 모두에게 있다. "<두번째 지구는 없다 / 타일러 라쉬>

소소하고 사소한 녹색생활

나는 '소소하고 사소한 생활'을 중시하게 되었다. 이러한 미니멀라이프를 시작 할 수 있는 방법을 알아내, 하나씩 생활 속으로 가져오다 보면 결국 지구를 웃게 만들 거라 굳게 믿는다. 몇 해 전 미니멀리스트가 크게 유행한 적이 있었다. 설레지 않으면 버리라는 미국의 한 인플루언서가 크게 영향력을 끼친 이후 전 세계에 미니멀리스트 광풍이 불었었던 적이 있는데, 그 때 나는 설레지 않는 것들을 모두 버려버린 역사가 있었다. 그렇게 해서 나는 적게 소비하고 절제하고 여백의 미를 중시하는 진짜 미니멀리스트가 되었다. 미니멀리즘. 나도 좋고 지구에게도 좋고! 미니멀리즘이 '나'를 돌아보는 것에서 시작하는 경우가 많은데, 내가 생각하는 미니멀리즘은 지구를 위한 삶의 방식이다. 스스로의 소비를 늘 점검하며 나라는 존재가 지구에게 너무 무겁지 않도록 무게를 줄이는 삶이라 할 수 있다. 꼭 필요한 물건만 가지고, 적은 물건에 더 많은 애정을 가지고 오래도록 사용하는 일, 고쳐 쓰는 일, 짧은 시간 안에 쓰레기가 되는 것을 막는 일. 모두 지구를 위한 일이다. 미니멀리즘을 삶에 들이는 팁 몇 가지를 공유해 본다.

1. 정말로 필요한 물건, 소중한 물건만 남기기

너무 너무 당연한 말이지 않나? 하지만 우리는 의외로 본인에게 필요한 물건이 무엇인지 모르는 경우가 많다. 살 때, 혹은 물건을 정리해야 할 때 이렇게 질문 해보라. '이게 없으면 생활이 어려워질까?', '이 물건이 없으면 내 삶에 어떤 일이 생길까?' 한두 번 묻고 대답해 보면 명확해 질 것이다.

2. 올인원! 물건의 쓰임새 확장하기

상상력이 필요하다. 물건의 쓰임새를 세분화하자면 끝도 없지만, 반대로 의외로 많은 일들을 단 몇 가지의 물건으로 할 수도 있다. 종류별로 구비해놓은 욕실의 세안용품들이 그렇고, 주방에 가득 쌓인 조리기구가 그렇다. 자신의 미니멀라이프를 구성하려면 올인원! 물건의 쓰임새를 확장하여 많은 물건들을 단순하게 정리해 보자.

3. 중고물품 적극 이용하기

물건들을 정리한 후 버려지는 것을 막는 데는 중고물품 이용하기가 딱이다. 빌려 쓰고 나누어 쓰고 바꾸어 쓰는 것도 좋다. 나의 경우에는 안 입는 옷과 물건을 다 처분했기 때문에 내가 필요한 옷과 물건들만이 남아있지만, 나의 엄마의 옷은 정리하지 못한 옷이 너무 많았다. 그래서 안 입는 옷들을 동네 플리마켓에 참여해 헐값에 다 팔아버렸다. 엄마가 안 입는 옷들까지 처분하니 우리 집의 옷장은 더욱 더 예전보다 깨끗해졌고 단순해졌다. 그래서 너무나 기분이 좋고 여유롭다. 우리가 참여한 플리마켓에서 필요한 것들을 싼값에 사고 난 후 필요한 물건으로 사용하다 보니, 더욱 더 기분이 새롭다. 헌 것들에게도 가치가 있다. 그것을 플리마켓에 참여하며 알게 되었다. 당신도 플리마켓에 참여해서 안 쓰는 물건들을 서로 교환하고 공유해 보라. 그렇게 되면 필요 없는 물건들로 인해 조그만 수익도 들어오고. 이웃들과의 따뜻한 정이 느껴지니.

마음이 더욱 더 편안해지고 넓어진다.

4. 헤어지고 후회하지 말기!

정리한 물건들을 보면서 애잔해지는 것을 막을 수 없다. 나중에 필요할 것 같기도 하지만 버린 물건이 '꼭' 필요했던 적은 없었다. 헤어지고 후회하지 말자. 나는 우리의 모든 삶이, 우리가 살고 있는 지구에 더 가까워 지면 좋겠다. 당신 또한 지구를 위한 삶을 살게 되다 보면, 소비와 물건이 아닌, 다른 행복을 분명 찾을 수 있을 것이라 믿는다. 도전해 보라. 단순한 미니멀라이프를! 이 라이프를 즐길수록 마음이 평안해지며 마음이 넓어지고, 마음이 따뜻해지며, 사소한 것에도 행복이 있다는 것을 알 수 있을 것이다.

슬로우라이프를 원해.

언젠가 '슬로우 라이프'라는 단어가 유행처럼 떠올랐던 것이 기억이 난다. 슬로우라이프는 환경운동가이자 문화 인류학자인 한국계 일본인 '쓰치 신이치'라는 분이 만든 개념이다. 영어권 국가에서는 아예 없었던 단어이다. 단어를 보면 알 수 있듯이 '느리고 여유롭게 살아가는 방식'을 추구하기도 하지만, 더 깊은 의미도 있다. '쓰치 신이치'가 주장한 '슬로우 라이프'의 'slow'는 S-Sustainable(지속 가능한), L-Local(지역), O- Organic(유기농) W-Whole(전체)를 합성한 단어를 뜻한다. '슬로우 라이프'가 뜨기 아주 이전에는 '웰빙'이 있었고, 시간이 지나 '미니멀라이프'란 단어가 떠올랐다. 최근에는 덴마크식

라이프스타일 '휘게'가 라이프 스타일 시장 트렌드를 휩쓸기도 했다. 웰빙은 건강을 염두에 두고 생활하는 방식, 미니멀라이프는 중요한 것만 남기는 삶의 방식, 휘게는 가족 혹은 혼자서 소박한 삶 속에서 느끼는 '행복'을 지향하는 라이프스타일이다. 각자 다 다른 개념이겠지만, 이 단어들은 왠지 내가 나에게 집중하는 더 나은 삶, 작지만 커다란 행복을 바라보는 삶으로 다가온다. 이제 나는 '슬로우 라이프'가 지향하는 느린 삶, 궁극적으로 나를 위한 삶을 살아가고 싶다. 다들 '슬로우 라이프'를 원하고 있지만, 자신과는 동떨어진 이야기라고 생각할 수도 있다. 나도 그렇게 생각했었다. 개인적으로 성인이 되고 난 후부터 여유로운 삶과 나는 동떨어졌다고 생각했고, 언젠지 모르는 먼 미래에 '슬로우 라이프'를 꿈에 그리기만 한 여자였다. 하지만 나 자신을 비우게 되면, 나만의 슬로우 라이프가 저절로 그려진다. 이제는 나만의 '슬로우 라이프' 스타일을 품고 살아갈 수 있다는 용기가 생겨났다. '슬로우 라이프'로 이끌 요소들을 찾아가며, 내가 갖고 있던 것들을 새롭게 바라보는 시선을 갖추어 가며, 예전과는 다른 태도로 급변하고 싶은 마음이었다. 항상 언제나 빠르게 달릴 수는 없다. 일의 보람을 느끼려면 휴식이 있어야 하고, 휴식의 즐거움을 느끼려면 일을 해야 한다. 항상 같은 속도로 살아갈 수 없는 것이 인생이다. 지금 삶에서 자신이 주체가 되지 못해서, 살아가는 매일매일이, 세상의 모든 것들을 짊어진 무거운 짐처럼 느껴진다면, 자신만의 수단을 사용하여 속도를 컨트롤할 수 있는 암시가 바로 '슬로우 라이프'다. '슬로우 라이프'는 내 마음의 속도를 늦춰 내 안의 것들을 내 안으로 끌어들이는 것이다. 나의 '미니멀리즘'은 없애는 행위에 초점을 맞추는 것이 아닌, 내게 소중한 것만을 남기는 과정에서 나 자신을 발견하는 행복을 찾기 위한 가치관이다.

마력을 뿜어내는 상상력으로,

우리 인간의 뇌는 신비한 마력의 상상력을 지니고 있었다. 두뇌에서 펼쳐지는 유동적 줄기의 상상력을, 현실에서도 비슷이 그려냈으니 말이다. 상상력을 발휘할 수 있는 힘을 내주었던 건, 바로 우리들의 '호기심'과 원하는 바람을 가진 '세계'가 있었다는 것이 아니었을까. 인류 '호기심'의 시작은, 지구를 포함한 자연의 신비에서부터 시작되었다. 우리들이 살아가는 지구 행성과 자연의 신비함은, 글과 숫자를 사용할 줄 아는 인간의 지적 호기심을 자극하게 만들었고, 그 호기심으로 인해, 예술과 문학, 과학이라는 것이 탄생했다. 사실 알 수 없는 무언가는, 의문과 궁금증을 남겨내며, 호기심을 만들어내고, 그것을 밝혀내기 위한 탐구심을 유발해 버린다. 사실, 책이나 다큐멘터리를 보게 되면, 전혀 상상도 하지 못했던 리얼 스토리가 이 세상에 무궁무진하다는 것이 나에겐 너무나 경이로운 일이었다. 옛 적부터, 미지의 신비함 속에 있는 오묘한 자연의 질서를 찾아 나선 인간의 호기심과 욕망은 계속 되어왔고, 지구가 가진 자원과 에너지를 탐색하여, 이것들을 재료 삼아, 더욱 너 잘 살아가기 위한 세계를 그려보자란 옛 조상들의 상상력으로 뭉친 집단 지성은, 현실에 그려지게 되어, 세상은 계속해서 빠르게 변화해왔다. 그 많은 다양한 상상력의 힘들로 만들어져온 지금의 세상에서, 우리는 스마트한 도구를 사용하며 일을 하면서, 편리하게 잘 살아가고 있다. 기술의 발전은, 당연히 감사함을 느낄 수밖에 만드는 일일 수밖에 없었다. 대부분의 옛날 사람들에게, 상상조차 힘든 사치품이라 여겨졌던 자동차나 집, 가구 따위는 이제 현대사회의 필수품으로 자리 잡았고, 우리는 각종 스마트 기기와, TV, 냉장고, 세탁기, 청소기 등을 일상생활에서 당연한 것으로 받아들이게 되었다. 지금의 우리들은, 기본적인 생계유지 생활을 위해 꼭 필요한 물건들을 갖추어 나가며 살아가고 있을 것이다. 나의 일상을 봐도 그렇다. 우리 집에는 생활에서 꼭 필요한 각각의 실용적인 제품들로 이루어져 있기에, 나는 너무나도 편리한 생활의 하루를 보낸다. 간간이 이런 생각이 들어온다. "옛날 이야기를 들어보면, 난 너무 편하게 살아가고 있잖아. 지금의 세상에서 태어나 살아가는 난, 완전 행운아야!" 하지만 역으로 생각해 보면, 떠오르는 상상력을 실현하기 위해, 환경에 해를 끼치는 재료를 통해서라도, 기어코 만들어내, 과생산을 진행해왔던 우리는 지금 '기후 위기 시대'를 맞으며 살아가고 있기도 하다. 지금의 세상은, 우리가 선택하여 사용할 수 있는 다양한 물건들이 너무나 많이 진열되어 있고, 그것을 사용하지 않은 채 버려지는 쓰레기들은 무성히 높게만 쌓여 간다. 무엇인가 얻기 쉬워진 시대에 살아가다 보니, 문제는 우리가 소유에 부여하는 '의미'에서 발생되고 있었다. 사람들은 자신이 원하고, 필요하다고 생각하는 것들을 사기 위해 일 년에 수천 시간을 일하지만, 그것이 정말로 필요한지 의문을 갖지 않는 듯 보일 때가 있다. 우리가 잠시 멈춰 서서, 자신의 지속적인 소비에 의문을 가져본다면, 인생에서 너무나 원하고 필요하다고 생각했던 소유물 가운데, 실제적으로 자신에게 불필요한 다수의 소유물들이 존재한다는 것을, 두 눈으로 확인해 볼 수 있을 것이다. 미디어의 화려하게 포장된 광고에 사로잡혀, 상상에 젖어들어, 실제 현실의 나에게, 훨씬 더 많은 것이 필요하다고 생각하고 행동했던 이력이 있는 여자가 바로 나였다. 플랙스 소비문화의 덫에 빠져들고 말았던 것이다. 내 눈앞에 항상 오픈되어 줄줄이 이어지는 광고들은, 무엇인가 필요하다는 불만, 가지고 싶다는 욕심, 소유물이 부족해 절망하는 마음을 안겨주었고, '많이 소유하기 위해 나란 사람이 이 세상에 태어나 존재하고 있구나!'란 생각 속에, 더 많이 가질수록 행복해질 것이라는 강압적인 인생관을 심어주기도 했다. 하지만, 그렇게 해서 발생하게 된 '소유욕'이란, 행복을 가장한 굴레였고, 내 자유를 빼앗아가는 족쇄였다. 시간이 흘러, 이 사슬을 끊기 위해 멈춰서, 나의 행동과 소비의 진정한 필요에 대해 생각해 보게 된 적이 있다. 이때 느꼈던 건, 바라던 물건을 원하는 만큼, 많이 사서 소유하게 될지라도, 그것은 오히려 무엇인가 더 구매하고 싶은 또 다른 욕망과, 누군가에게 과시만을 하고픈 탐욕만을 심어줄 뿐, 빈 마음의 공허함을 완전하게 채워 낼 수는 없었다.

Less Is More에 꽂혔다.

"Less Is More!" 어느 순간, 이 문장에 깊숙이 꽂혀 버렸다. "Less Is More"은, "간결한 것(단순한 것)이 더 아름답다."라는 말로, '더~'를 의미하는 'more'과 반대로 '덜~'을 의미하는 'less'를 동격으로 표현하여 역설적인 미학을 드러낸 문장이다. 이는 미니멀리즘, 모더니즘을 대표하는 문구로 꼽히고 있다. 이 문장이 실제 최초로 활자화된 것은 '로버트 브라우닝'의 시 'Andrea del Sarto'의 한 구절이었다. 이 문장은, 앙투안 드 생텍쥐페리의 "완전함이란 더 이상 보탤 것이 없는 상태가 아니라 더 이상 뺄 것이 없는 상태를 말한다."와 의미가 상통하는데, 훨씬 짧고 강렬해서 아주 많은 곳에 쓰이고 있다. '더 적은 삶 Less

Life.' 우리는 더 갖고 싶어하고 소유하려 하지만 '더 적은 삶'을 생각해 보는 사람들은 그리 많지 않을 것이다. 생존하기 위해, 우리는 무엇을 얻으려 하고, 소유함으로써, 풍족하게 살아가고픈 욕망의 욕구로 길들여져 살아가기 때문이다. 아무리 무엇인가 많이 소유하고 있다는 삶이 좋다고 느껴질지라도, 아무리 가져도 행복감이 살아나지 않는다면, 더 작은 삶에 관심을 기울여 한 번쯤 생각해 보는 것은 좋은 일이다. 나에게 '미니멀라이프'란 얼마나 통쾌한 말인지, 불필요한 것들을 비워낼수록 기분이 상쾌해져버린다. 물건도 적게, 잡동사니도 적게, 스트레스도 적게 유지해버리면, 기분이 급상승해 버릴 때가 종종 많이 생겨나버리게 되고, 그저 인생을 긍정적으로 바라보는 기운으로 활력을 나에게 심어주어 버리니, 나의 정신적인 내면적 건강도 좋게 유지할 수 있게 도와줘 버린다. 나에게 '소유물'이란 그동안 지내온 인생의 경험을 통하여 알게 되었던 나의 인생에 있어, 절대적으로 원하는 물건이며, 그것은 감사함까지도 사뭇 느낄 수 있게 하는 가장 소중한 물건들이다. 무조건 많다고 해서 좋은 것이 아니고, 너무나 적다고 해서 좋은 것 또한 아니다. 단지 내 자신이 절대적으로 원하는 것, 살아가는 데 있어 제일 필요로 하는 것만 있으면 될 뿐이다. 자신이 지닌 상황과 환경의 구조에서, 제일 원하는 것으로 채워진 최소한의 소유물을 가지고, 내가 원하는 길을 향해 집중하고, 나의 길을 가로막는 방해요소를 줄여나가는 일. 그러한 '미니멀리즘'의 정신은, 나에게 많은 시간의 자유와 삶의 의미를 가져다준 커다란 선물이었다. '소비'란 수도승처럼 사는 금욕주의자와, 스타의 삶을 추구하는 쇼핑중독자 사이에 놓여있는 긴 끈이다. 내가 선택한 '미니멀리스트'의 삶은, 소비의 연속선상에서 '금욕주의자'에 가깝지만, 나의 '미니멀리즘' 그 자체는 목적과 의미로 충만한 삶, 중요함을 토대로 이루어진 단순함에 깃든 우아한 삶, 소유물에 지나친 중요성을 부여하지 않으면서도, 꼭 필요하다고 생각하는 물질적인 소유를 즐기는 삶이다. 생각해 보면 나는 필요한 모든 것을 이미 다 가지고 있었고, 괜한 플랙스 욕구만으로 불필요한 물건을 수집하여 나열해 놓는 일은, 보여주기 위해서만 쌓아놓는 저장강박과도 마찬가지란 생각이 들어왔다. 사실 누구나 원하는 것이 있으니, 그것으로 무엇을 표현하고 싶어 하는 욕구를 가지고 있는 것은 당연한 일이다. 소비 자체가 무조건 나쁜 것이라 말할 순 없다. 문제는 우리가 왜 그것을 소유하고 있는지에 대한 의문을 가져보지 않은 채, 많은 소유물에 지나치게 많은 의미를 부여할 때 생겨나 버린다. '미니멀리스트'세계의 기본은 소유 물건에 부여하는 의미에 의문을 가져보는 것이다. 한동안 사용하지 않았다면, 왜 이것을 아직도 가지고 있는 것일까? 만약을 대비해서일까? 한동안 쓴 적 없는 소유물들이 쉽게 눈에 띄진 않는지 살펴보며, 언제 마지막으로 이 물건이 가장 필요했는지 한 번 생각해 보자. 우리가 소유한 것 중에는 필요없는 게 더 많지만 우리는 그 사실을 모른다. 물건을 버리면 낭비하는 것 같아 죄책감을 느낀다. 낭비란 아직 쓸 수 있는 무언가를 버리는 것을 말한다. 쓸모없는 물건을 버리는 것은 낭비가 아니다. 쓸모가 없는 물건을 계속 보관하고 있는 것. 오히려 그게 낭비다. 어떻게 불필요한지 판단하는 일이 제일 힘든 것이다. 필요는 없지만 버리기 힘든 물건과 과감하게 이별을 고하고 나면 얼마나 홀가분한지 아는가? 이제 어느덧 나는 30대를 넘어섰고, 30대 후반의 나이의 시간을 보내고 있다. 곧 나에게도 40대가 찾아오고, 50대, 60대가 넘어가는 나이가 될 것이다. 빠르게 흘러만 가는 인생속에서, 중요함을 우선으로 두어 맞춰진 단순한 내 길만이, 나에게 가장 아름다운 풍요로움을 심어다 줄 거란 것은, 예전과는 다르게 확실해져버린 나의 생각이다. 자신의 소유물에 있어 물음표를 던지고, 인생에서 불필요한 것들을 조금씩 줄이고 없애나간다면, 자신이 제일 중요하게 생각하는 것들에 대해 집중할 수 있는 시간들로 채워져나간다. 물건을 많이 소유하기 위해, 또는 쌓여진 소유물을 관리하는 데, 자신의 에너지를 그곳에 쏟아붓는 것보단, '내가 진정 좋아하는 것, 내가 원하는 의미 있는 인생'에 대해 한번 더 생각해 보는 것에, 에너지를 쏟아내어, 불필요한 것들을 줄여나가는 것이 더욱 더 좋은 라이프를 위한 실천 방법일 것이다. 그에 따라오는 자신의 뚜렷한 방향의 단순한 길이 당신에게 여유로움, 자유로움, 행복감을 선물할 것이니 말이다. 무엇인가 복잡한 혼돈스러운 스트레스에서 벗어나고 싶다면, "Less Is More!"의 메시지를 가슴에 담아 자신의 불필요함을 비워 보자. 어떠한 상상을 하던, 자신이 원하는 꿈을 좇아가는 것은 당신의 선택이며, 당신 삶의 길이다. 나는 내가 원하는 시간과 자유의 삶을 선택했다. 불필요한 것들의 소유는 내게 짐이 되어 갈 뿐이었기 때문이다. 당신에게 의미 없는 것들만이 한없이 쌓여 가고 있다면, 그것을 깔끔하게 정리하여 보는 것이 어떨까. 지저분한 집안을 청소해, 깨끗해진 방안을 보며 흐뭇해하듯, 불필요한 것을 없애버리고 나면, 정신이 맑아지고 공간은 자유로워지며, 어깨에 놓인 무거운 짐들은 덜어져 버린다. 그리곤, 개운해진 마음과, 평온함이 뒤따른다. 비워내고 느껴보자. "Less Is More!" 적을수록 내 마음의 소유는 많아진다는 것을.

여백의 미.

결국, 소유한 많은 것들은 우리를 지배하고야 만다. 그저 쌓여만 가고, 관리하는데, 사용하는데, 쓸데없는 에너지를 쏟게 만들어 내니 말이다. 지배성에 눌러앉아, 정작, 자신과의 진실된 대화에 입을 다물고 있을 때가 있었다. 하지만, 이제야 이런 생각이 든다. '미니멀리즘'의 매력은 바로 '여백의 미'에 있었다. 빈 공간이 많음으로써 생겨난 여백은, 커다랗고 새하얀 도화지에, 무엇이든 거침없이 그려낼 수 있는 미묘한 상상력을 심어 주었고, 머릿속에 물들어가는 판타지로, 나는 어느새 새로운 세상을 그려나가는 마이 월드 창조주로 군림한다. 그것이 내가 경험하고 있는 신비한 여백의 아름다움이다. 그저 더 넓은 여백의

미를 연출하기 위해, 불필요한 것들은 비워내려 함은, 경건한 여유로움까지도 안겨다 주었다. 머릿속에 엉켜있는 생각들, 가슴속에 뭉개져버린 감정들이 우리를 괴롭힐 때가 많이 있다. 아픔으로 잃어버렸던 어둠 속 5년의 시간들 속에서, 감사하게도 나는 어느덧 '미니멀리스트'가 되어 혼란스러움에서 벗어났고, '비움'의 감각으로 실천에 옮겨온 행동들은, 나만의 속도로 천천히 걸어 나아갈 수 있는 작은 꿈으로, 온전히 소중한 것에 집중할 수 있는 힘을 건네주었다. 노자가 말했다. "자신에게 아무것도 부족하지 않다는 것을 깨닫는 순간 세계는 당신과 하나가 된다"라고. 한마디로 비움의 추구는, 나 자신의 행복을 위함이었다. 즉 '미니멀리즘'은 나의 내면의 자유를 찾을 수 있도록 도와준 꿈의 도구였던 셈이다. 이상적인 삶의 방식은 심플함이 삶을 풍요롭게 하는 긍정적 가치다. 심플함을 추구하는 것이 가장 편안하면서 내 양심에도 부합하는 올바른 삶의 방식이다. 적게 소유할수록 더 자유롭고 더 많이 성장한다는 것이었다. 우리 사회도 화려하고 과한 삶에 따른 위험을 인식하기 시작했다. 단순하고 자연스러운 삶의 기쁨과 이로움을 재발견하려는 사람들이 많아지고 있다. 가진 것이 그리 많은 사람이 아닐지라도, 이미 가진 것에 충분히 만족할 줄 아는 내가 되었다. 소유란 것이 작아져 버릴지라도, 내면적으로 다가오는 기쁨과 행복을 감미할 줄 아는 여유로움이 생겨나니, 그것은 나에게 더욱더 풍요롭고 섬세한 삶을 펼쳐나갈 수 있는 밝은 길이 되어 준다. 정당하게 부를 쌓고, 제 힘으로 인해 욕심나는 물건을 소유하는 것에 느껴지는 기쁨이란 것이 결코 잘못되었다고 말할 수는 없다. 원하는 바가 있다면, 그대로의 자신에서부터 더할 나위 없는 행복을 먼저 만끽해 보자는 것이다. 있는 그대로의 내가 행복이고, 그것이 감사인 것조차 모르고 살아왔던 것이 예전의 나였기에. 멀리 떨어져만 보이는, 거창하고 위대한 행복을 바라기만 하며 살아가는 것보다, 내 그대로의 작은 행복의 만족에서부터 채워가며 살아가자는 것이, 달라져버린, 내 삶의 변화다. '행복'을 인식하는 새로운 관점이 나에게도 생겨난 것이다. 나는 새처럼 자유롭게 훨훨 날아갈 것만 같았다. "가볍게!" 그것은 나의 주문이 되었다. 쓸모없는 것들을 줄여나감에 따라, 나의 기운은 날아올랐다. 나는 한층 더 쉽게 더 효율적으로 더 우아하게 하루하루를 살아가기 시작했다. 비움은 내 삶의 모습을 확 바꾸어 놓았다. 항상 정리가 필요하다. 비워내면 쌓이고, 비워내면 쌓이고, 언제든 나는 떠날 준비가 되어 있다. 지금 난 많은 것을 소유할 수 없는 현실적 여건 때문이어서 그런지 나는 그렇게 진화해왔나보다. 나의 덜한 소유로 나는 떠나야 할 때 언제든 떠날 수 있는 준비, 새로움을 맞이할 준비, 변화를 맞이할 준비가 되어있다. 자발적 소박함을 통해, 필요로 느끼는 것만으로 소비하며, 그것만을 소유하는 삶으로, 내면과 정신의 풍요로움을 가꾸어 나가며 나만의 작은 세계를 그려나가 본다. 아직 모르고 있는 당신에게 다시 한번 말하고 싶다. 진정한 행복은 "Less Is More!"의 시작일 수 있다고.

'아름다울 미' 중독

플라톤은 『향연』에서 말한다. "무언가를 위해서 살아야 하는 것이 있다면 그것은 미를 바라보는 것이다."라고. 나 또한 '플라톤'처럼 아름다운 미를 최고의 가치로 여기고 열광적으로 찬미하는, 'Beautiful Dreamer'였다. 그것은, 원치 않아도 들여다볼 수 밖에 만드는, '대중매체'와 좋아할 수 밖에 없게 만드는 다양한 아름다움의 '예술세계' 때문이 아니었을까. '예술'이란 것 자체가 아름다움을 표현하려는 인간의 활동으로 이루어진 작품이기에, 그것은 두 눈으로 칭송할 수 밖에 없게 만드니 말이다. 다만 '플라톤'과 다른 것이 있다면, 플라톤이 내놓는 미의 개념은 광범위했다. 나는 그저 두 눈으로 보여지는 겉으로 비춰지는 시각적 아름다움이 마냥 좋았을 뿐이었다. 넓다란 하늘을 드높게 바라보듯, 쳐다보게 될 수 밖에 없었던 예술문화 속에서 펼쳐지는 현란한 아름다움의 미. 그것은 정신을 혼미하게 만들어버려, 소유하고 싶은 욕망으로 인한 과한 소비로 접근할 수 밖에 없게 만들어 버린다. 어린 소녀는 그 아름다운 세계에 접속해 살아가고 싶은 갈망의 심정을 지니고 있었다. 어쩔 수 없는 매혹적인 유혹의 따른 마음은 욕망의 블랙홀에 퐁당 빠져, 내 안의 반짝거리던 수수한 별들을 가려버렸다. 미디어 광고에 사로잡혀, 허황된 꿈과 망상에 젖어들게 만드는 욕망이 그저 겉핥기식 아름다움 속에 입문하고 싶은 마음과, 오로지 물질소유로, 가진 것이 많아야 행복해 질 수 있을거란 핏빛의 행복기준을 머릿 속에 심어냈던 것이다. 머릿 속을 헤집고 다닌 그러한 생각은, 현실의 나에겐 훨씬 더 많은 것이 필요하다란 압박의 덫에 빠져들어 '소유하기위해 많이 벌어야만 한다.'란 내리누른 억압의 행동을 취할 수 밖에없는 터무니없는 욕정의 생활을 유발시켰다. 이러함은, 무엇인가 '더 많이 소유하기 위해 이 세상에 태어나 존재하고 있구나.'란 생각으로, 그저 '부러움에 지지말자.'란 욕망으로 벌고 쓰는 실속없는 엉터리 소비의 삶을 살아오게 만들었다. 물론 너무나도 비싼 제품들은 엄두도 낼 순 없었지만, 언제나 나의 머릿속엔 핫함을 상징하는 '가지고 싶은 물건 리스트'들이 냉큼 저장되어있었다. 그렇다. 나는 어렸을 적 화려해보이는 연예인들이 부러웠다. 그래서 잘나가는 연예인처럼 돈을 많이 벌어 예쁜 옷을 사입고, 많은 이들과 분위기 좋은 곳에서, 신나는 파티를 하고 교류를 하며 화려하고 재미난 인생을 살고싶었다. 그래서인지 유명잡지를 자주 챙겨보며, 스타일코디 아이템들을 상상했으며, 남들에게 아름답게, 예쁘게 보이기 위해 의류를 자주 구입해 매일 매일 다른 옷으로 나를 치장했고, 잡지에 나오는 패션화보들처럼, 트렌디한 옷, 특이한 옷, 독특한 개성의 옷에 호감을 느꼈다. 그래서일까. 고등학교 실용음악과를 졸업하고 20대를 맞이한 그 시점에서부터 다양한 사람들과 어울리며 아름다운 '패션문화'에 관심을 갖기 시작했었던 것 같다. 패션피플들을 구경하니 '패션문화'라는 것은 나에게 신세계였다. 그러한 개성넘치는 아름다운 패션의 미와, 다양함과 화려함이 가득한 하이패션의 세계는 나를 유혹했고, 독특하고 유니크한 멋을 뽐내는 스트리트패션의 미에 빠져 하루종일 패션잡지를 읽고, 외국패션블로그를 구경하며 이미지를 수집한 적도 있었다. 그리고는 나는 패션에 매력을 느껴 패션디자인학원을 다니며 디자인을 공부했다. 그 후 온라인여성의류쇼핑몰을 열어 운영하며, 독특하고 여성스러운 패션스타일을 지향하며, 나를 꾸미는 일을 좋아한 적이 있었다. 하지만 시간이 지나갈수록, 내가 예쁘다고 생각해서 구매했던 그런 옷들은 하루살이 옷들일 뿐이고, 나에겐 매일매일 편하게 입을 수 있는 옷들이 없다는 걸 깨달았다. 우리집엔 일상에서 필요한 실용적인 옷들이 없었던 것이다. 그때 문득 들었던 생각은 옷은 표현의 자유라고했지만, 너무 차려입는 듯한 치장은 원래의 현실적인 나를 꽁꽁 싸매어 어두운 가면으로 숨겨버리는 것 같았다. 대개 우리는 어떤 옷을 입어야 더 예뻐 보일까란 스스로의 만족보다는 남들에게 보이는 모습, 나보다 남을 배려하며 행동하는 보이기 식의 경우가 있다. 이제 좀 더 나다운 나를 그려나가고싶다는 생각이 들어왔다. 그런 생각을 했던 나는, 나의 하루살이 옷들을 중고마켓에 헐값에 재빠르게 판매하기 시작했다. 많은 옷들을 처분하니 일단 마음이 홀가분해지더라. 나는, 나의 삶에 미니멀리즘을 적용하고 난 후 완전 변화했다. 요즘은 입기 편하고, 움직이기 간편한 자연스러운 베이직캐주얼룩에 꽂혔고, 더 정이 가기 시작했다. 이제 옷을 골라도 오래입을 수 있는 옷, 편하게 입을 수 있는 베이직하고 심플하며, 실용성을 갖춘 옷을 사자!라는 옷에 대한 가치관이 바뀌어 지금은 지속가능한 옷을 중심으로 고르며 사입고 있다. 언제 입어도 편안한 데일리 캐쥬얼 룩, 기본적이고 심플한 베이직의류들은 나의 주생활에 도움이 되는 실용성이 강한 옷들로 선택되었다.

내 취향을 촘촘히 알아가는 기쁨, 심미안

어떻게 하면 멋쟁이가 될 수 있을까? 어떻게 하면 옷을 잘 입을 수 있을까? 어떻게 하면 돈들이지 않고 감각있게 입을 수 있을까? 나이, 성별 등에 따라 옷 잘입는다는 기준이 다르기에 어떻게 입는게 좋고 나쁜건지 알수는 없다. 내가 옷을 입는 법은 이러하다. 봄, 가을에는 블랙 후드티와 블랙 가디건, 블랙, 핫핑크 츄리닝셋트, 네이비, 핑크, 블루 맨투맨 티셔츠에 블랙, 그레이 색상의 부츠컷 바지를 즐겨입고 여름에는 블랙, 핑크, 옐로우, 민트색상의 반팔티셔츠와 블랙, 네이비 반바지를, 겨울에는 블랙 레자가죽무스탕과, 블랙, 보라색의 숏패딩, 블랙 롱패딩을 즐겨입는다. 이게 나의 패션의 전부다. 옷 가짓수가 그리 많지 않다.

나와 정말 어울리는 옷들만 최소한으로 남겨놓고, 부담스럽지 않게 편안하고 형편에 맞게 깔끔하게 옷을 입는다. 때, 장소, 상황이 다르더라도 나는 베이직 기본 스타일로 고정시켜 놓는다. 이렇게 기본 아이템으로 옷을 소화하면서 내면과 외면의 조화로움을 자연스럽게 드러내기도 한다. 나의 개성을 살린 단순한 스타일은 타인의 눈을 찌푸리게 만들지도 않고 엄숙해야 할 장소에서도 경박한 옷차림이 아니다. 어느순간, 어느상황에서도 편하게 느낄수있는 나만의 패션스타일이다. 나는 무리하게 고가의 옷을 사고 최첨단 유행을 좇아 가고, 철 따라 나오는 신상품만 걸치면서 자랑스럽게 활보하는 패셔니스트가 이제 아니다. 언제 어디서나 입을 수 있는 편안한 기본스타일을 추구할 뿐이다. 이제 옷을 생각하면 옷은 유행이 아닌 자신만의 스타일을 찾는 것이 중요하다. 자신에게 제일 잘 어울리는 스타일을 알기위해서 우리는 보는 안목을 길러두면 좋다. 일단 아름다움을 살펴 찾는 안목. '심미안'이 되어보자. '심미안'이 되기위해서는 많은 것을 보아야 한다. 나는 어렸을 때 내가 좋아하는 것을 전혀 몰랐다. 엄마랑 같이 백화점에 가도 엄마가 골라주거나, 백화점 의류브랜드 코너의 점원들이 골라주고 추천해주는 것만 입을 뿐이었다. 예쁜 것이 뭔지 모르는 사람이었다. 그때 당시 이제부터 내 옷은 내가 고르고 싶다는 생각이 들어왔다. 내가 좋아하고 마음에 드는 개인취향의 아름다움이 무엇인지 알아내고 싶어, 해외블로그의 스트리트 사진이나 화보를 수집하고, 예술가, 아티스트들의 작품 이미지를 구경하면서 이미지들을 비교해가며 좋아하는 컬러와 스타일을 찾기시작했다. 내가 좋아하는 것을 알아내면 개인의 성향이 확고해지기 때문에 불필요한 것은 사지 않게 될 것 같았기 때문이다. 또한 스마트폰 스크린 타임을 살펴보다가 내가 온라인 쇼핑을 하는데 상당히 많은 시간을 쓰고 있다는걸 알게되었다. 특별히 살 물건이 없어도 여러 쇼핑플랫폼을 오가며 구경하는 습관 때문인 듯 하다. 온라인쇼핑을 하는데 쓰는 시간이 아깝다거나 고쳐야 할 습관이라고는 생각하지 않는다. 아이쇼핑은 취향을 다듬고 안목을 키우는 일이다. 미술관이나 전시회에 가서 작품을 감상하듯, 아름다운 물건은 구경하는 것만으로 즐겁다. 그리고 그 과정에서 내 취향의 물건들을 보면 브랜드는 달라도 대체로 결이 비슷하다. 이렇게 평소에 '쇼핑훈련'을 열심히 해두면 진짜 필요한 물건이 생겼을 때 헤매지 않고 좋은 물건을 찾을 수 있다는 장점이 있다. 내가 좋아하는 스타일과 취향을 상세하게 알아가게되면서, 이제 나에게 필요하고, 실용적이면서, 현실에 맞는 아름다운 옷들을 골라내어 제품을 구입하게되었고, 필요없는 건 절대 사지말자란 쇼핑안목이 생겨났다. 오랫동안 취향을 차곡차곡 쌓아오면서 자신만의 기준을 만들어냈던 것이다. 믿을만한 건 나의 '감'뿐이었다. 나에게 가장 만족스러운 선택은 나만이 알고있을테니까. '사는것(Live)'부터 '(물건을)사는일'까지 인생의 모든 단계에는 공부가 필요하다. 나에게 맞는 물건이 뭔지, 어떤 조건을 만족시켜야 하는지, 어디에 가면 살 수 있는지. 손품을 팔고 발품을 팔고 직접 체험해보면서 공부해야 한다.

<소비를 통해 깨달은 삶의 지혜>

1. 예습을 약간만 하면 쇼핑의 주도권을 내가 가질 수 있다. 주도권을 쥐고 하는 쇼핑은 그렇지 않은 쇼핑보다 훨씬 즐겁다.

2. 같은 물건을 사더라도 내가 사고 싶어서 능동적으로 '고른'것과, 타인에 의해 등 떠밀려 산 것은 만족도가 다르다.

3. 쇼핑후에도 '어떻게 하면' 이 물건을 잘 써먹을지 공부해보자. 같은 돈으로 최대의 효용가치를 누릴 수 있다.

여기에 무수한 실패를 겪으며 깨우친 교훈 하나만 더 얹어보자. 열심히 공부하고 부지런히 발품팔아 손에 넣은 '좋은물건'은 반드시 그만한 값어치를 한다. 나는 내가 고심끝에 구입하게 된 물건은 소중히 생각하는 마음을 갖게되었다. 브랜드를 보고 옷을 사고 입지 않는다. 브랜드를 중요하게 생각하지 않는다. 나 자신이 명품이 되면 된다고 생각하기 때문이다. 그렇기 때문에 내 취향과 형편을 고려해서 옷을 입는다. 날카로운 기준으로 나에게 필요한 제품의 브랜드들을 찾아내고 분류해 두었다. 웬만해선 나의 기준에 맞지 않는 제품들을 사용하지 않는다. 특히 브랜드가 돋보이는 옷보다 나를 돋보이게 해주는 옷이 좋다. 타인에게 보여주기 위한 옷이 아닌 나의 취향에 맞는 옷을 입는 것이 좋다. 기본라인만 갖춰 몇 십년이 지나도 입을 수 있는 옷. 옷 한 벌로 여러가지 코디를 해서 뽐낼 수 있는 옷. 현란하고 화려한 패턴보다 베이직한 라인의 단색, 원색, 비비드한 컬러의 옷, 정이 들어 친해진 친구같은 옷. 이런 옷들이 좋다. '밴드 왜건 효과 Bandwagon effect'라는 게 있다. 사회로부터 소외되지 않기 위해 유행에 동조하는 현상을 의미한다. 여기서 '밴드왜건'은 퍼레이드 맨 앞에서 악기를 싣고 다니며 사람들의 시선을 끄는 악대차를 의미한다. 사람들은 당연히 행렬의 선두에 선 악대차를 보고 따라가고 꽁무니에 있는 사람들은 왜 따라가는지 영문도 모른채 몰려간다. 다수에 속하고 있는 군중심리, 유행에 뒤떨어지거나 소외당하는 것에 대한 두려움, 이 두가지가 빚어낸 모습이다. 기업들은 새로운 신상품들을 만들어내고 새로운 것을 원하는 소비자들을 유혹한다. 그러면서 기업들은 신패러다임을 분석, 평가하며 유행을 만들어나간다. 대중들은 소외되지 않기 위해, 자신을 뽐내기 위해 유행에 따라가기에 바쁘다. 이러한 복잡다단한 시대에 나는 나의 주관을 가지고 형편에 맞는 베이직 스타일, 편안한 스타일로 개성을 드러낸다. 유행에 둔감한게 아니라 취향이 확고하기에 자아까지 표현해낼 수 있는 나의 차림새가 좋다. 자신의 취향을 찾아내려면 자신에게 어울리는 것을 찾기위한 시행착오를 거쳐내야 한다. 자신의 취향을 찾아내면 무조건 남을 따르거나 유행에 휩쓸리지 않게 된다. 취향이 확실하면 무분별한 과소비와 충동구매를 줄일 수 있다. 자신의 취향과 경제적 상황을 잘 파악하게 된다면 자기 분수에 맞는 멋진 옷을 입을 수 있을것이라고 생각한다. 결론적으로 내가 옷을 거의 사지 않는 이유는 나의 취향이 확고해졌기 때문이다. 또한 나는 매일 여러사람을 만나는 사람이 아니다. 나를 보여줄 일이 많지 않으니 나를 만족시키는 편안한 옷만 입으면 그만이다. 유행은 돌고도는 법이니 이제는 옛날에 구입한 옷을 수선해서 리사이클링 하여 오래오래 옷을입고 싶다. 옷을 무분별하게 사지 않고 한번 산 옷을 아껴가며 오래 입어야 겠다는 생각이 들었다. 우리는 의외로 타인의 욕구와 대중적인 트렌드에는 관심이 많은 반면 자신의 욕구에 대해서는 잘 모르고 있다. 그것을 모르고 타인의 욕구만 쫓다 보면 허망한 사람이 된다. 자신을 찾아갈수록, 자신을 세상에 알릴수록 비움하길 참 잘했다는 생각이 든다. 비움을 통해 내 안의 소리를 명확히 듣고 행동하면 많은 부담이 있더라도 계속 나아갈 수 있다. 비움은 자신의 비전, 가치관, 취향이 명확한 사람. 그리고 흔들리지 않는 사람을 만들어 간다.

시그니처 룩

나는 '스티브잡스'님이나 '마크 저커버그'님처럼 단순한 옷차림을 존경한다. 돈많은 부자라해도 겉모습에 투자하지 않는 것. 그러한 검소한 분들이 멋지게 느껴진다. 옷은 많은데 입을게 없는 이유는 옷은 많지만 자신만의 스타일이 없기 때문이아닐까. '스티브잡스'나 '마크저커버그'님은 괜히 옷을 검정색, 회색으로 통일했을까? 스티브 잡스는 가장 유명했던 미니멀리스트로 불려지고 있는 듯 하다. 스티브잡스는 늘 같은 디자인의 검은색 터틀넥과 청바지를 입고, 뉴발란스운동화를 신으며 자신의 복장을 유니폼화시켜버렸고, 에너지를 보존하기 위해 그렇게 했다고 한다. 매일 어쩔 수 없이 입던 옷만 입는게 아니라 자신이 스스로 선택해서 매일 같은 옷을 입었고 그것이 자신의 시그니처 스타일이 되어버린 것이다. 뉴욕의 톱 패션 디자이너였던 캘빈 클라인은 한 인터뷰에서 이렇게 말했다. "컬렉션을 준비하는 동안 신경이 곤두서서 한달 내내 같은 장소에서 같은 옷을 입고 그곳에서만 먹고 자면서 오로지 컬렉션에만 몰두합니다." 캘빈클라인은 새로운 제품을 발표하기 위해 옷에 신경쓸 여유가 없다고 말했다. 그는 항상 유니폼 같은 옷만을 고집했다. 또한 조르지오 아르마니, 돌체 앤 가바나 등 많은 디자이너들은 패션쇼를 끝내고 잠깐 무대로 나와 인사할 때 공통점이 있었다. 대부분 검은색 티셔츠에 짙은 색 바지를 입고 무대에 나온다는 것이었다. 컬렉션 준비때문에 정작 자신을 꾸밀 마음의 여유가 없었나보다. 꾸미지 않았다고 해도 나는 꾸밈없는 그들이 더욱 더 멋있어 보였다. 나는 스티브잡스, 마크저커버그, 캘빈클라인처럼 가진 옷의 종류를 줄이고, 이제는 내가 돋보일수 있는 나만의 시그니처룩을 만들고 싶다. 그 이유는 간단하다. 옷에 신경쓰는 시간을 줄이고 내 시간에 에너지를 나의 일에 조금이라도 더 투자하고싶다는 생각이들어왔기 때문이다. 나같은 경우, 무채색에 원색, 비비드 컬러로 믹스매치포인트를 주는 것을 좋아한다. 무채색만 있으면 나에겐 너무 심심해보인다. 나는 이제 내가 돋보일 수 있는 스타일을 추구하게되었다. 너무 화려하지 않으면서 기본적이고 심플한 스타일. 요샌 너무나 고급스러운 것도, 너무나 여성스러운 것도, 너무나 화려한스타일들도 싫어졌다. 명품스타일도 싫다. 이제는 트렌디하지는 않지만 유행을 타지 않는 베이직 룩이 좋아져버렸다. '지아니 베르사체'는 말한다. "트렌드만 빠져 있지 마세요. 패션이 당신을 소유하게 두지말고, 당신이 누구인지, 옷 입는 방식과 살아가는 방식으로 무엇을 표현하고자 하는지 당신 스스로 결정하세요. <지아니 베르사체>"우리 모두 유행을 좇을 필요는 없다. 단지 현재의 유행흐름을 감상하며 이를 참고해 자신만의 스타일을 찾는 것이 중요하다. 트렌드에 사로잡히지 않고, 트렌드가 아무 의미가 없어져야 진짜 멋쟁이가 될 수 있다. 이것이 건강한 옷차림이다. 패션은 시시각각 변하고 영화는 흥행하고 또 잊혀지곤 한다. 그렇지만 나는 나의 시그니처룩으로 변하지 않는 모습 그대로 언제나 따뜻하게 어루만져 주는 누군가가 있었음 좋겠다는 생각이 들어온다.

자신사랑

우리의 문제는 우리가 소유에 부여하는 '의미'에 있다고 생각한다. 사람들은 자기가 필요하다고 생각하는 것들을 사기 위해 일년에 수천 시간을 일하지만, 그것이 정말로 필요한지 의문을 갖고 있지 않는 듯 하다. 오늘날 우리는 실제보다 훨씬 더 많은 것이 필요하다는 듯 행동하지 않나. 행동만 하는 것이 아니라 그렇게 느끼고 생각한다. 우리는 광고에 사로잡히고 소비문화의 덫에 걸려 우리가 만들어낸 공허감을 채우려고 물질적 소유를 갈망한다. 하지만 이 사슬을 끊기 위해 우리는 멈춰 서서, 한 발 물러나 우리의 행동과 소비와 진정한 필요에 대해 생각해봐야 한다. 물건으로는 결코 마음의 공허함을 채울 수 없다고.

우리가 잠시 멈춰서 지속적인 소비에 의문을 가져본다면, 우리가 필요하다고 생각하는 물건 대부분이 필요하지 않다는 사실을 알게 될 것이다. 바로 나처럼 말이다. 인생에서 우리가 필요하다고 생각하는 소유물 가운데 다수가 없어진다면 우리의 삶은 더욱 더 간결해지고 편안하며 훨신 더 보람있게 될 것이라고 믿는다. 나는 필요하면서 현실에 맞는 아름다운 옷들을 고르고 필요없는 건 사지말자!란 쇼핑안목이 생겼고, 그동안 쌓아왔던 나의 짐들중에 불필요한 것을 버려버리자! 란 생각이 들었다. 이제 겉모습을 의식하지 않게되었다. 겉모습을 치장하는 일보단, 원래의 나를 사랑하게 되었고, 만나는 사람들에게 있는 그대로의 편한 나를 내보일 수 있게 되었다. 배우 '스칼렛 요한슨'이 말한다. "메이크업과 빛나는 옷, 그리고 화려함을 걷어내고 나면 남는 건 아무 것도 없습니다. 그런데 연예인을 따라하고 그들처럼 되고싶어 하는 여성들을 많이봐요. 그들은 완벽해지고 싶어합니다. 완벽한 몸과 피부 톤을 가지려고 해요. 하지만 그들은 모르는 게 있습니다. 그들이 되고 싶어 하는 외모의 이면에는, 많은 디자이너와 메이크업 전문가, 포토샵 가공과 동영상 편집기술이 있다는 것을 말입니다. 그들은 아름다움을 잘못 이해하고 있어요. 내가 남들에게 어떻게 보일지 신경 쓰면서 찾는 아름다움은 좋은 게 아닙니다. 아무것도 신경쓰지 않아야 해요. 있는 그대로의 당신을 사랑하세요. 화장 없이도 거울을 볼 수 있고 불완전한 자신에게 기뻐할 수 있습니다. 자기가 자신을 사랑하지 않으면 누가 당신을 사랑하겠어요. <스칼렛 요한슨 (영화배우) >" 그동안 외적인 것에 관심이 많아 소비를 했던 나는, 이제 외적인 소비보단 건강관리에 집중하게 되었다. 아파보니 정말 "건강이 최고, 건강이 행복"이라는 것을 느끼게 되더라. 옷을 명품으로 치장 할 바에는 운동으로 나의 건강과 몸에 투자하는 편이 낫다. 몸이 명품으로 바뀐다면 5천원의 티셔츠도 명품이 되어버리니까. 무엇인가 내가 쌓아왔던 짐들을 비워내고 나니 나는 불행하다는 우울증을 떨쳐낼 수 있었고, 온전한 인격체로 성장하게 되었다. 헨리 데이비드 소로는 "사치품과 생활을 편리하게 해주는 것들은 대부분 불필요할 뿐만 아니라 인류의 발전을 저해하는 결정적인 장애물이다. (헨리 데이비드 소로, <월든>중에서)" 라고 말한다. 이제는 당신도 불필요한 것을 비워내고 자신이 정말 필요하고 원하는 것만 구입해보는 습관을 길러보자.

나의 행복은 작고 귀엽다.

행복이야말로 우리 모두가 찾아 헤매는 것이 아닐까. 그때의 난, 솔직한 내 마음으로 내비치는 발그러니 탐스러운 미소를 지어보고 싶었을 뿐이었다. 그러나 마침내 발견하고야 말았다. 어둡게 다가왔던 짐들을 비우고 비워내니, 두 눈 가까이엔 어떠한 소유물도 아닌, 자신의 존재 그 자체만으로 미소 짓게 만드는 진실의 행복이란 것이 있었다. '미니멀리즘'은 넘치도록 가지고 있음에도, 자꾸만 더 가지고 싶은 욕망의 스트레스에서 벗어날 수 있게 해주었고, 그것은 철없던 내가 '비움'을 실천하며 얻게 된 작지만 확실한 미덕이었다. 나는 비움의 과정자체를 즐긴다. 비움을 통해 느낄 수 있는 중간의 후련함, 마음의 홀가분함. 내적인 충만함. 나에대한 믿음. 타인에 대한 사랑자체를 즐기기에 몇년째 이 삶을 유지하고 있다. '비움'의 실천을 행하다 보니, 내가 그동안 이토록 많은 것을 지니고 있었나 하는 자발적인 자각심이 들어올 때가 있었다. 부족하다고만 하면서 늘어놓았던 불평이, 가진 게 많았음에도 감사할 줄 몰랐다는 반성으로 차올랐다. 그러했던 불평은 아마도 타인에게 조금 더 그럴싸해 보이고 싶은 허세였을 지도 모른다. 소중한 것만을 남기려, 비워내고 비워보다 보니, 이미 난 충분히 많은 것을 소유하고 있었다. 증가에서 오는 괜한 행복만을 추구하던 내게 '미니멀리즘은' 새로운 관점을 심어 주었던 것이다. 지금 행복하지 않다면, 나중에 가서도 행복할 수 없을 것만 같다. 비교라는 돋보기로 삶을 들여다보게 되는 것은, 스스로를 초라하게 만드는 불행만이 크게 보일 뿐이다. "많은 이들이 커다란 행복만을 고대하면서, 작은 기쁨을 잃어버린다. <펄 s. 벅>"란 말이 있다. 행복은 무탈한 것 자체이다. 순간의 행복을 느끼지 못한다면, 행복은 영원히 느낄 수 없을 것 같아 오니, 나는 언제 어디서든 감사의 마음으로, 일상의 기쁨을 자주 느껴버릴 줄 아는 여자가 되었다. 찬찬히 내 일상을 돌아보면 이미 가진 것들은 차고 넘친다. 당연한 행복감, 풍족하고 심적인 여유, 반짝이는 햇살의 일상 조각들, 도란도란 나누게 되는 이야기들. 이미 가진 것들을 구체적으로 인식하게 되버리면, 괜하게 비교하는 잣대로 우울해졌던 못난 마음들이 밝은 기운으로 채워져 버린다. 꾸깃꾸깃하게 구겨졌던 마음이 반듯하게 다림질하듯 펴져버리니, 천성으로 비교하는 습성에서 멈춰서 버린다. 미니멀 라이프라는 삶의 태도로 이루어진 후천성 노력형으로, 그동안 틀에 갇혀버린 형식적 행위보다 자신에 대한 집중으로, 진정 원하는 것을 생각해 보는 시간을 가져왔다. '미니멀리즘'이란 거창한 무언가가 아닌, 내가 느끼고 만들어가는 삶에 대한 '기분 좋음'의 감정을 심어 주었고, 그것은 작고 귀여운 나의 커다란 행복이 되어버렸다. 다른 곳에 가면 더 행복해질지도 모른다는 등, 사람은 때때로 행복을 관념의 저편에서 찾기 십상이다. 하지만 참된 행복은, 지금 사는 곳에서 현실과 맞춰 격투하면서 희망찬 발걸음을 옮기는 속에 있다. 순조로운 삶의 기분은 당신의 일상에 대해 의미있는 만족감을 느낄때 찾아온다. 비움을 통해 내면을 돌아보고, 욕망에 대해 솔직해지며, 불필요하고 방해되는 요소들을 제거하고 에너지 낭비없이 자신의 꿈에 다가가고 있다면 당신은 순조로운 인생을 살고 있는 것이다.

공짜인 줄 모르고,

미니멀 라이프의 반대말은 맥시멈 라이프일까? 미니멀 라이프의 반대말은 비교하는 삶일 것이다. 미니멀 라이프를 시작하게 된 이유를 묻는다면 맥시멈 라이프를 추구할 수밖에 없게 만드는 '비교하는 삶'을 멈추고 싶어서다. 비교하는 습관만 덜어내도 삶의 모양새는 한결 건강해지고 보기 좋아지니 말이다. 당신 또한, 비교하려는 잣대를 수시로 비워내고, 자신이 지닌 가치 있는 큰 보물들부터 발견하기를 바란다. 인생에서 가장 값진 것들은, 공짜라는 진부한 말이 있다. 너무 진부하고 재미없는 표현이라고 묵살해버리지 않는다면, 이러한 격언을 받아들임으로써 삶이 더 나아지기도 한다. 사랑, 희망, 소망, 기쁨, 행복이라는 감정, 인간관계, 개인의 성장, 사회적 기여, 나의 사랑스러운 몸 등, 인생에서 가장 값진 것들을 생각해도 그것은 정말 공짜다. 삶에서 즐길 수 있는 많은 것들은 사실 많은 돈이 필요하지 않다. 물론 생필품을 사는 데 필요한 어느 정도의 생계유지를 위한 돈이 들어가겠지만, 인생의 즐거운 경험을 적은 돈으로 즐기기 위해 필요한 장치는 이미 마련되어 있다. 운동은 집이나 공원 등 돈이 들지 않는 장소에서 한다면 공짜다. 산책의 즐거움을 누리는 일도 공짜다. 글을 쓰는 일도 공짜다. 사랑을 나누는 일, 별빛 아래 친구나 연인과 앉아 함께 웃는 일도 공짜다. 조용한 방에 앉아 혼자만의 시간을 즐기는 일도 공짜다. 숨을 쉬는 공기 역시 공짜다. 가장 중요한 사실은 진정한 자유 또한 공짜라는 사실이다. 좋아하는 음악을 듣는다거나, 집 근처 도서관에서 책을 빌려 읽는 것. 카페에서 먹는 커피 한잔 정도, 집에서 재미있는 영화나 TV를 시청하는 것도 별로 그리 과하게 큰돈이 들어가지 않는다. 적은 돈으로도 우리는 일상에서의 재미를 느껴볼 수 있다. 삶에서 무엇이 필요하고, 무엇이 불필요한지 결정하는 습관을 들여놓으니, 나는 다른 이들에게 당당히 말할 수 있다. 비움의 삶, 미니멀 라이프를 실천하며, 나는 더 탁월해졌고, 더 행복해졌고 내 삶의 의미는 더욱더 깊어졌다고. 실제로 내 삶은 완전히 달라져버렸다. 매일 똑같은 길을 걸어도, 매일 새로운 감정의 행복이 발견되고 삶의 디테일한 축복을 만끽할 수 있으니 말이다. 이 얼마나 멋지고 경이로운 삶인가. 비움의 삶으로 인해 나는 그토록 원했던 활력과 일상의 행복을 발견해 내는 즐거움이 생겨났다.

내 삶이 증거다.

내 삶이 증거다. 이 말은 작은데서 큰 깨달음을 안겨주었던 한 구절이다. 불필요한 잡동사니를 걷어내면, 우리는 우리가 정말로 원하는 것을 발견할 수 있다는 것을 깨닫게 되었다. 이 과정은 나 자신을 찾아가는 여정에서 중요한 순간 중 하나였다. 우리는 때때로 생활 속의 복잡함에 둘러싸여, 무엇이 우리에게 진짜로 중요한지를 잊기 쉽다. 일상 생활은 많은 의무와 요구 사항으로 가득 차 있으며, 때로는 우리의 에너지와 시간을 불필요한 일들에 낭비하는 경향이 있다. 그러나 한편으로, 이러한 잡동사니들을 제거하면 우리는 좋아하는 일에 더욱 집중할 수 있는 기회를 얻게 된다. 불필요한 것들을 정리하고 정돈함으로

써, 우리는 우리의 열정과 관심사에 더 많은 시간을 할애할 수 있다. 이는 새로운 기회를 찾는 데도 도움이 되며, 종종 이전에 보이지 않았던 가능성들을 발견하게 된다. 결과적으로, 만족도는 기하급수적으로 상승하게 된다. 우리는 우리의 삶에 더 많은 의미와 만족감을 느끼며, 자연스럽게 더 행복한 삶을 살아간다. 그러나 더 중요한 것은, 우리가 원하는 삶이 종종 불필요한 잡동사니 아래에 숨어 있다는 것이다. 우리는 때로는 무엇을 원하는지 정확히 모르거나, 그것이 어디에 있는지를 모를 수 있다. 하지만 그럼에도 불구하고, 우리는 끈질기게 그 삶을 찾고 발견하려는 욕망을 가지고 있다. 이것이 바로 우리의 여정이다. 불필요한 것들을 버리고, 진짜로 중요한 것을 찾는 여정. 우리는 우리 자신을 탐구하며, 우리가 원하는 삶을 구축하기 위해 노력한다. 이 여정은 때로는 어렵고 복잡할 수 있지만, 그 안에는 보물이 숨겨져 있으며, 그 보물을 찾는 과정 자체가 가치 있는 것이다. 그래서, 당신이 원하는 삶이 어디에 있는지 확신이 없다면, 불필요한 잡동사니를 제거하고 시작해 보라. 그것이 당신이 진짜로 행복하고 만족스러운 삶을 찾는 여정의 시작일지도 모른다. 이 여정은 당신의 인생을 풍요롭게 만들 것이며, 당신의 삶이 정말로 중

거가 될 것이다.

파랑새인가. 소확행인가.

이제야 소중한 것들이 보인다. 여유로운 마음앓이 속에서 피어오르는 나의 소중한 것들. 한결 마음이 편안해져 온다. 소소한 일상 속에서 느낄 수 있는 이 행복감. 전에는 느껴보지 못했던 감정들을 새로이 느껴본다. 일상에서 주의를 기울이며 깨어있지 않으면 우리 주변에서 늘 힘차게 세상을 밝히고 있는 빛을 놓치게 된다. 작은 일상의 사랑스러운 눈길이야말로 아름다움과 힘의 원천이 되고, 몸과 마음의 조화가 이루어져 나 자신이 평화로워진다. 벨기에의 작가 '메테를 링크(Maurice Maeterlinck)'의 동화 「파랑새(L'Oiseau Bleu)」란 이야기가 있다. 한요정이 두 어린아이에게 말한다. "파랑새는 행복을 상징한단다." 그려고는 두 아이에게 자신의 아픈 딸을위해 파랑새를 찾아 와달라고 부탁한다. 하지만 아이들은 수많은 모험을 치르고도 아무런 성과 없이 집으로 돌아온다. 그리고 집 안에서 그들을 기다리고 있는 파랑새를 발견한다. “저걸 봐, 우리가 찾고있던 파랑새야! 지금껏 수많은 곳을 헤매고 다녔는데, 파랑새는 내내 여기에 있었던 거야!” 이 이야기에서 비롯된, '파랑새 증후군은 「파랑새(L’Oiseau Bleu)」의 주인공처럼 현실에 만족하지 못한 채, 몽상을 하면서 현재 할 일에 정열을 느끼지 못하는 것으로서, 빠르게 변화하는 현대사회에서 적응을 하지 못하는 직장인에게 나타나는 대표적인 현상이다. 이는 직장인이 겪는 노이로제의 일종으로 신경증을 말하며 욕구불만, 갈등, 스트레스 때문에 발생하는 심리적 긴장이 신체적 증상으로 나타난 것이다. 우울증의 증상으로도 나타나는데, 자살 유혹에 빠지고 모든 일이 허무하게 느껴져 권태를 느끼며 무기력하다고 자책한다. 그래서 가정이나 직장을 버리고 훌쩍 떠나 버리고 싶은 충동이 일어나기도 한다. 이렇게 떠나는 사람들은 지금 있는 곳을 벗어나기만 하면 어딘가에 파랑새가 있을 것이라고 생각한다. 현실에 지쳐서 막연한 행복을 꿈꾸며 갈구하는 파랑새 증후군. 가까이에서 소소한 행복을 찾는 소확행. 당신은 어떤 것을 선택할 것인가? 현재의 일과 상황에 만족하지 못하고, 막연하게 어딘가에 있을지 모를 행복을 좇는 사람들. 하고 싶은 일과 하고 있는 일과의 괴리감, 불만족함을 느낄 때 우리는 파랑새의 행복을 찾아다니며 인생을 살아가는 사람들이 분명 우리 주변에 많이들 존재할 것이다. 이상과 현실의 차이로 인해 나 또한 어린 시절 머릿속이 새파래지는 파랑새 증후군을 앓았던 적이 있다. 두 눈의 시선은 항상 거창하게 높은 곳을 향해있었다. 지금 서있는 위치에서는 보이지도 않을 만큼 먼 곳을 동경했고, 그것만을 바라보며 달리고 또 달렸다. 일상 속 행복이나 주변의 작은 기쁨을 무시하고 저 멀리 있는 행복과 영광을 바랐다. 그래서였을까. 반복되는 일상생활 속에서 나는 어떠한 성취감도 느끼지 못했다. 우리들의 운명의 수레바퀴는 쉼 없이 돌아가면서 변화와 더불어 새로운 주기를 맞으며, 끊임없이 돌고 돌면서 순환하며, 자신이 원하든 원하지 않든 정해진 환경 속의 틀에서 살아간다. 이미 정해져 있는 타고난 전체적인 환경이란 틀 안에서 우리는 수레바퀴처럼 빙그르르 돌아가기에, 분명 우리들의 인생에 출발선은 각각 사람들마다 다를 수밖에 없다. 그 틀 안에서 어떻게 자신이 원하는 것을 이루는 인생을 살아가야 할지, 고민하는 것은 누구나 가지게 되는 고민이다. 그리하여, 현실을 바라보다 보면, '파랑새 증후군'은 어느 순간 누구에게나 찾아올 수 있을 듯하다. 하지만 집에 있는 아리따운 파랑새를 발견하고나서야 달라져버린 나로서, 이제 당신에게 이야기하고 싶어 진다. 지금의 나는 일상의 소소함에 감사할 줄 알고, 작은 것에 만족을 느끼며 행복한 기분을 자주 느끼는 사람이 되어 버렸다. 그저 나에겐 아무것도 아니었던 이 기분들이, 지금의 나에겐 더욱 더 커다란 행복으로 돌아와 버린 것이다. 그렇게 쫓으려 했던 파랑새는 우리 집 안에서, 나만을 빤히 계속해서 바라만 보고 있었기에, 막막함, 불안함, 답답함도 이젠 내겐 없다. 파랑새를 찾아 떠나는 당신. 동화 속의 주인공이 결국 집에 돌아왔을 때 바로 집 안의 새장 속에 파랑새가 있었다는 사실, 즉 파랑새는 우리 곁에 있다는 사실을 잊지 말았으면 좋겠다.

본연의 나만을 사랑하는 것. 그것이 소확행.

파랑새 증후군의 반대적인 의미의 '소확행'은 소소하지만 확실한 행복이라는 뜻으로, 레이먼드 카버의 단편소설 <A small Good Thing>에서 유래하고, 일본의 유명 소설가 무라카미 하루키의 수필 <랑겔 한스의 오후>에 등장한 신조어였는데, '갓 구운 빵을 손으로 찢어 먹는 것, 서랍 안에 반듯하게 접어 넣은 속옷이 잔뜩 쌓여 있는 것, 새로 산 정결한 면 냄새가 풍기는 하얀 셔츠를 머리에서부터 뒤집어쓸 때의 기분..' 이러한 것들이 작지만 확실한 행복이라는, 하루키의 이야기처럼, 주어진 환경의 영역 안에서, 내가 할 수 있는 일들 중, 가장 관심 있고 좋아하는 일을 찾아, 세계관을 그리고, 그 세계관의 영토를 조금씩 넓혀

가려 하고 있는 집중의 발 한 걸음이, 내겐 너무나 재미있게 느껴지는 일상이고, 그것이 나에게, 작지만 확실한 행복이다. 먼 곳에나 펼쳐져 있는 것이 아닌 본연의 나만을 사랑하는 것, 바로 내 곁에서 바로 느껴볼 수 있는 소소한 즐거움을 찾길 바란다. 내 눈앞의 별일 아니어 보이는 소소한 것들이 결국에는 평생의 행복을 찾게 해 줄 지름길이니까. 알 수 없는 미래가 아닌 현실에 충실하고 남의 시선을 의식하기보다는 나 자신에게 집중하며, 원하는 것을 그려보고, 그것을 이루기 위한 과정을 목표 삼아 나만의 인생 목적지를 향해 한 걸음 한걸음 걸어 나가보자. 내 옆에 펼쳐져 있는 작은 여운의 행복감들이 모여 모여, 내 마음의 여유와 평온을 지켜주니 말이다. 나의 보호막이 되어주는 작은 행복감들이 건네주는 심적 편안함은, 주변에 사랑을 더 나눌 수 있는 사람이 될 수 있게 해주는 듯하다. 나란 사람이 누군가에게 하는 말들이 예전의 나보다 조금은 더 따뜻해져 가는 듯 하니까.

두려움의 '슬럼프'는 없다.

인생을 살다보면 느껴질 것이다. 누구에게나 '슬럼프'는 찾아오게 되어있다는 걸. 살다보면 가끔씩 '성장'이 정체되어 있다는 느낌이 다가온다. 나도 그럴 때가 있었다. '성장'이 정체되고 '정지'되어버린 것만 같은 블랙홀 같이 어둡고 공허한 인생시간. 빛나는 열정을 쏟아부으며, 열심히 산꼭대기로 오르려 달려가고 있었지만, 어느틈엔가 기대와는 달리 생각했던 만큼 눈에 보이는 '성과'는 빛나지 못했다. 머릿속에 그려놓은 인생대로 완벽하게 흘러만 갈 줄 알았는데, 몽상에 사로잡힌 나만의 인생그림이 그렇게 흘러가지 못한다라는 '무서운현실'을 접한 후, 이상적이고 달콤한 나의 세계관은 내 '인생'에서 완전히 사라져버릴 뻔 했다. 그러나 그런 생각을 하며 느낀 것이 또 한가지 있다. 이상적이고도 달콤한 나의 세계관이 사라지게 되어버리면 살아가는 것이 완전한 지옥의 고통이라는 것을. 제 아무리 기량이 뛰어나고 유명한 운동선수나, 세계적인 대스타라 하더라도 '슬럼프'를 비켜갈 수 있는 사람은 없다. 누구에게나 인생의 굴곡이 파동을 쳐버린다. 이상적인 세계관에 맞추어 자신의 삶의 목표를 하나 잡고, 어떤 길에서도 눈앞에 찾아올 '슬럼프'를 어떻게 극복해 낼 것인가라는 생각으로 이루어진 '인생처방'은 빛나는 인생으로 가는 관문을 더욱 더 가까이 갈수있도록 도와줄수 있다고 본다. 우리는 우리가 이 땅에 살아있는 한, 무엇인가를 추구하며 그것을 위해 살아가야만 한다. 그러한 행동들이 살아가는 이유가되고, 인생의 달콤한 맛을 느끼며 살아가게 해준다. 몸이 갑자기 어딘가 아파온다. 이런 일은 누구나 다 있는 일이지 않나. 몸이 갑자기 어딘가 아파오는 것처럼, '슬럼프'는 언제, 어딘가에서 예측하지 못한채 날아들어온다. 이 주기적인 '불청객'을 조금이라도 수월하게 맞이하고 떠나보낼 수 있도록 우리는 '멘탈예방주사'를 맞아놓아야 안심할 수 있다. 인생에서 그토록 바라던 '꿈'을 이루지 못할지라도, 나는 큰 '꿈'을 꾸며 살아가고싶다. 내가 가진 '꿈'들은 내가 이 험난한 세상을 어떻게 해서라도 살아가야만 하는 목적이되고 그 '꿈'은 나를 일으켜주고 나를 성장시켜주니 말이다. 또한 '슬럼프'는 '목표'가 없는자, '노력'하지 않는자에게는 절대 찾아오지 않는다는 말을 하고 싶다. 무언가를 이루기위해 애쓰고 시도하지 않았다면, 도전을 하지 않았더라면, '슬럼프'란 성립자체가 될 수 없다. 우리는 꿈을 쫓아 한걸음 한걸음 걸어가는 길에서 잠시 동력을 잃어버렸을 때 , '목표'를 향해 걸어가는 길 안에서 그 동안의 노력과 애씀의 체력렌즈에 초점을 맞춰야 한다. '슬럼프'가 왔다는 것은 내가 노력해왔다는 확실한 증거인 것이고, 인생의 정체기를 느꼈다면 새로운 돌파구를 찾아보라는 신호이자 기회인것이란 현명한 이야기를 당신에게 말하고 싶다. '슬럼프'는 새로운 돌파구를 발견해내어 더 나은 방향으로 나아가는 계기가 되고 더 큰 성장으로 팔딱 뛰어오를 수 있는 기회이다. 자신에게 더 잘 맞는 인생을 찾아주는 나침반이라고 할 수 있다. '슬럼프'는 새로운 인생의 길을 제시하는 소중한 '나침반'인 것이다. 나에게 맞는 인생을 찾아가기위해 이러한 '슬럼프 나침반'은 존재해야 하며, 꼭 필요하다. '슬럼프'는 내게 도움이 되는 방향으로 해석해주는 인생의 소중한 도구이니, 당신에게 슬럼프가 왔다면, 나처럼 오히려 기뻐할 때이다. 무기력한 감정에 짓눌리지 말고, 재빨리 새로운 일에 주의를 돌려보며, 신나게 놀 궁리를 해보자. 다시말하자면, 인생에서의 중요한 휴식타임의 신호가 '슬럼프'이다. 한 블로그에서 이런 글귀를 읽은 적이 있다. "슬럼프를 겪는 만큼이 그 사람이 노력한 정도이자 새로운 성장의 문을 열 수 있는 가능성이다!" 나 또한 '슬럼프'란 인생을 겪어오며, 두려움, 불안함같은 공포심을 느낀적이 있었지만, 이제 난 '슬럼프'란 것이 무섭지도. 두렵지 않다. 다음 번 '슬럼프'를 기대하며 나는 나의 행복을 만끽하며 살아갈 것이다. 머릿속에 되뇌어보자. '슬럼프'란 노력하고 성장하고 있다는 증거라는 것을.

어느 갑부의 마지막 편지

2020년 10월 25일. 내가 존경하던 삼성 이건희 회장님이 돌아가셨다. 그 후, 이건희 회장님이 마지막 남겨놓으신 편지라 알려진 문구들을 천천히 정독해가며, 읽어본 적이 있었다. 한 글자 한 글자마다 너무 가슴에 와닿아버렸기 때문이다. 하지만 나중에 알고 보니, 이 편지는 이건희 회장님께서 마지막으로 남겨놓은 편지가 아닌, 잘못 알려진 편지문으로, 이 마지막 편지를 진짜로 남기신 분은, 알 수 없는 어느 또 다른 갑부였다고 한다. 어떠한 분이 이러한 글을 마지막으로 남기고 가셨던 것일까. 이 편지를 읽어 보아하니, 감사하게도 난 정말 지나친 행복을 지닌, 참으로 건강한 사람이다.

<어느 갑부의 마지막 편지>

- 나의 편지를 읽는 아직은 건강한 그대들에게 -

"아프지 않아도 해마다 건강 검진을 받아보고, 목마르지 않아도 물을 많이 마시며, 괴로운 일이 있어도 훌훌 털어버리는 법을 배우며, 양보하고 베푸는 삶도 나쁘지 않으니 그리 한번 살아보세요. 돈과 권력이 있다 해도 교만하지 말고, 부유하진 못해도 사소한 것에 대한 만족을 알며, 피로하지 않아도 휴식할 줄 알며, 아무리 바빠도 움직이고 또 운동하세요. 3천 원짜리 옷 가치는 영수증이 증명해 주고, 3천만 원짜리 자가용은 수표가 증명해 주고, 5억짜리 집은 집문서가 증명해 주는데, 사람의 가치는 무엇이 증명해 주는지 알고 계시는지요? 바로 건강한 몸이요! 건강에 들인 돈은 계산기로 두드리지 말고요. 건강할 때 있는 돈은 자산이라고 부르지만, 아픈 뒤 그대가 쥐고 있는 돈은 그저 유산일 뿐입니다. 세상에서 당신을 위해 차를 몰아줄 기사는 얼마든지 있고, 세상에서 당신을 위해 돈을 벌어줄 사람도 역시 있을 것이오! 하지만 당신의 몸을 대신해 아파해줄 사람은 결코 없을 테니, 물건을 잃어버리면 다시 찾거나 사면되지만, 영원히 되찾을 수 없는 것은 하나뿐인 생명이라오! 내가 여기까지 와보니 돈이 무슨 소용이 있는가요? 무한한 재물의 추구는 나를 그저 탐욕스러운 늙은이로 만들어 버렸어요. 내가 죽으면 나의 호화로운 별장은 내가 아닌 누군가가 살게 되겠지. 내가 죽으면 나의 고급진 차 열쇠는 누군가의 손에 넘어가겠지요. 내가 한때 당연한 것으로 알고 누렸던 많은 것들.. 돈, 권력, 직위가 이제는 그저 쓰레기에 불과할 뿐.. 그러니 전반전을 살아가는 사람들이여! 너무 총망히 살지들 말고, 후반전에서 살고 있는 사람들아! 아직 경기는 끝나지 않았으니 행복한 만년을 위해, 지금부터라도 자신을 사랑해 보세요. 전반전에서 빛나는 승리를 거두었던 나는, 후반전은 병마를 이기지 못하고 패배로 마무리 짓지만, 그래도 이 편지를 그대들에게 전할 수 있음에 따뜻한 기쁨을 느낍니다. 바쁘게 세상을 살아가는 분들.. 자신을 사랑하고 돌보며 살아가기를.. 힘없는 나는 이제 마음으로 그대들의 행운을 빌어줄 뿐이요."

돈보단 사소한 삶에 만족하고, 자신을 사랑하라는 감동이 담긴 편지. 이 편지 한 장엔, 많은 공감이 갈 수밖에 없는 막강한 정신승리의 흡입력을 지니고 있었다. 편지의 글대로, 의미 있는 자신의 삶을 살아갈 때 보람찬 행복감이라는 것이 찾아오는 것이 맞는 말인 듯하다. 개인으로서 원하는 것을 그려내고, 타인에게 의미 있는 일로써 기여하는 삶이란 것이 내가 생각하는 '의미 있는 삶'이며, 열정과 자유로 가득히 차오르는 삶이기도 하다. '성장'과 '기여'는 행복의 초석이다. 인간은 개인으로서 성장하고 타인을 위해 기여할 때 보람됨을 느끼며, 그 만족감에서도 행복을 느낀다. 내적인 성장이 없다면, 그리고 타인을 도우려는 의도적인 노력이 없다면, 우리는 '돈'과 '권력', '지위'와 '거짓 성공'의 덫에 걸려 사회적 통념에 충실한 노예의 삶을 살게 될 뿐이라는 것이 어느 갑부의 마지막 편지에 담긴 이야기였다. 이로서 더욱 더 소중하게 느껴지는 '미니멀리즘'은 우리의 삶을 단순하게 만듦으로써 중요한 것에 집중할 수 있도록 도와주는 도구이다. 나 역시 불필요한 의미의 무엇인가를 깨끗이 정리하려고 하니, 내가 생각하는 의미 있는 삶을 살아가고자 하는 어떠한 마음에 집중할 수 있는 에너지를 갖추어 가게 되는 듯하다. 당신 또한 '미니멀리즘'의 세계로 초대한다. 가입비는 물론 없다. 누구나 행복해질 자격이 있고, 각각의 의미 있는 삶을 살아가기 위한 자격을 지니고 있으니 말이다.

소박한 삶을 원한다.

아름다움처럼 소박한 삶은 거의 제한이 없는 매력을 가지고 있었다. <조금 내려놓으면 좀 더 행복해진다>에서는 소박한 정신을 삶에서 감행했던 철학자 소크라테스 이야기가 나온다. 그는 짧은 생애 가운데 물질적으로 상당히 가난한 삶을 몸소 살았다. 그는 자신이 조각한 물건을 팔아서 생계를 꾸려갔지만, 특별히 이름이 알려진 것도 아니고 기술이 있는 것도 아니었다. 그의 관심사와 비즈니스도, 가족이나 직업을 위한 것이 아니었다. 그는 모든 에너지와 시간을 저명한 이방인들이나 젊은이들, 소년들과 함께 하는데에 거의 소비했는데 이들은 모두 부유하고 한가로운 계급이었다. 그들 중 한 사람인 플라톤이 자신의 책<대화 Dialogue>에서 그들이 나눈 대화를 가공한 재현을 통해 보여주었다. 동시대의 그리스인들이 가난 속에 있는 미덕을 볼 수 없었을지라도, 그리고 부를 행복한 삶을 위한 것으로 여겼을지라도, 그들은 부가 결코 사람을 만족하게 하고 기분 좋게 할 수 없다는 것을 알고 있었고, 자기과시나 천박함 없이 행하는 자제력을 특별히 높게 평가했다. "아름다운 것에 대한 우리의 사랑은 우리를 무절제함으로 이끌지 않는다." 사치스러운 문명은 '좋은 삶'의 실천에 방해가 된다고 믿는 다른 그리스 철학자가 있다. 그가 바로 스토아학파의 선구자인 디오게네스이다. 그는 엄격한 금욕주의를 선택했는데, 먹는 것과 입는 것 모두에서 가장 소박한 음식과 옷만을 입었고, 심지어 잠은 그냥 바닥에서 잤다. 스토아학파는 헬레니즘 철학유파들 중에서 가장 폭넓게 알려졌다. 그들은 세대를 거듭하면서 영향을 줄 수 있었던 정신적, 도덕적, 고상함을 지니고 있었다. 스토아학파는 특히 로마의 세네카, 에픽테투스, 마르쿠스 아우렐라우스에게 영향을 주었다. 그들은 삶에서 중요한 것이 외부적 생활환경에 달린 것이 아니라 영혼의 고결함에 있다고 가르쳤다. 에픽테투스(c.50-c.138)는 제논의 가르침에 따라 이렇게 말했다고 한다. "보라. 나는 아무것도 가지고 있지 않다. 땅과 하늘, 값싼 지팡이 외에 쉴 곳도 없다. 하지만 내게 부족한 것이 무엇인가?" 기독교가 일어났을 때에 스토아학파는 그리스-로마 세계에서 가장 위대하고 도덕적인 세력이었다. 사상에서 중요한 학파를 이룬 다른 하나가 바로 에피쿠로스학파였다. 이들에게서 가장 최고의 가치는 인간의 즐거움(고통과 두려움으로부터 자유라고 정의할 수 있는 즐거움)이었다. 에피쿠로스학파는 벗들과 우정을 나누며 한적한 곳으로 물러나 조용히 사는 삶을 옹호했다. 에피쿠로스(기원전 341-270년)는 소박한 즐거움, 우정, 은거라는 윤리적 철학의 창시자로, 전원생활을 하며 가르치는 것에 주력했다. 일반적인 오해와는 달리 그는 호사롭고 감각적인 즐거움을 추구하는 삶을 절대 옹호하지 않았다. 왜냐하면 그에 따르면 탐닉은 길게 볼 때에 즐거움을 가져다 줄 수 없기 때문이다. 오히려 소박하면서도 절제된 삶이 그것을 가능하게 한다고 보았다. 그는 철저하게 소박한 삶을 살았다. 보통은 빵과 물만으로 먹을거리를 해결했으며, 특별한 날에는 치즈를 추가했을 뿐이다. 치즈를 향한 애호가 잘 보여주는 한 일화가 있는데, 그가 친구에게 보냈던 편지였다. "내게 키티니어 치즈 좀 보내주게. 그러면 내가 좋아하는 잔치를 열 수 있을 것이라네."

이렇듯 고대의 위대한 사상가들(세네카, 호라티우스를 포함해서)을 돌아본다면, 그들이 고결한 삶을 위해 소박함을 열망하고 있었음을 발견하게 된다. 몇 세대가 지난 후에, 우리는 이 지배적인 세계관과 일치하는 표현을 지금 시대에서도 발견할 수 있다. 우리의 삶. 다들 행복하고자 열심히 살아가는 듯하다. 행복해지고 싶다는 우리의 간절한 바람. 행복하지 않아서일까. 행복 타령으로 행복하게 해달라고 내심 기도를 하기 마련이다. 그렇다면 행복은 무엇일까. 우리 중 많은 이들은 때때로 더 많은 것을 가지고 싶어한다. 왜냐하면 더 많은 재산을 갖는다면 더 잘 살 수 있다고 생각하기 때문이다. 우리가 실제로 필요하지 않은 것들을 구매하게되는 쇼핑은 중독증상을 일으키는 마약이다. 여태껏 무엇을 더 갖거나, 어느 대학에 들어가거나, 어느 직장에 입사하거나, 어느 지역에 아파트를 구매하거나, 어떤 브랜드의 가방을 사거나, 어느 차를 몰면 행복하다는 생각을 하는 사람들이 많은 듯싶다. 남들을 따라 그것들을 얻고자 살아가는 것 같다. 우리는 자신이 언제 행복한지 모른 채 세상에서 가장 행복하다는 것을 뒤좇으며 살아간다. 만약 당신이 지금까지 살아온 삶의 방식이 당신의 인생가치를 망가뜨리고 있다면, 이러한 잘못된 습관을 깨기 위해서 우리의 생각을 근본적인 변화로 모색해 보아야 한다. 만약 당신이 지금까지 회피하고 있었던 가치들을 찾고 있다면 수년동안 살면서 경험해 보지 못했던 충족감을 찾는다면, 성취하지 못한 꿈을 찾고있다면, 지금까지 해왔던 삶의 방식을 확실히 변경하거나 멈춰서야 마땅하다. 나는 행복하다. 헛된 욕심과 부질없는 집착으로 쓸데없는 것들에 사로잡혀있지 않으니까. 나는 풍요로울 때보다 소박하게 살 때가 훨씬 더 즐겁고, 끝없이 불만족스러워 뭔가 새로운 것을 계속해서 탐하질 않는다. 정신의 풍요가 물질의 풍요보다 더 중요하다는 것을 알고 있기 때문이다. 우리가 불행한 까닭은 물질이 가난하기 때문이 아니라 정신이 가난하기 때문이다. 지금 행복하다는 느낌이 들지 않는가? 행복하지 않다고 느껴진다면 지금 우리 삶에 드리워진 불행의 느낌이 들어온다면 자신의 삶을 다시 되짚으라는 신호이다. 자본주의 사회에서 우리는 욕망의 덫에 걸려있고 하루하루 질투심과 소유욕에 몸이 달아오른다. 무한 경쟁의 시대. 뒤처지면 바로 낙오자가 되고, 조금만 뒤처져도 패배자가 되는 이 시대에 허둥지둥 뒤처지고 싶지 않은 욕망의 흐름에 우리가 불행한 것이 아닐까. 당신이 진짜 하고 싶은 걸 한 번도 하지 못한 채 이렇게 살다 죽을 것 같기에 불행하다고 생각하는 것이 아닐까. 지금 이 순간부터 내가 나로 살 때, 내가 정말로 원하는 걸 하면서 살 때. 자신의 세상은 색다르게 행복의 세상으로 물들어갈 것이다. 행복해지고 싶다면 그 누가 알아주지 않더라도 내가 진정으로 하고 싶은 것을 해보는 시간을 가져보자. 우리의 삶을 발목 잡았던 편견과 집착. 욕심과 쾌락. 무지와 분노 등을 조금 내려놓으면 우리는 좀 더 행복할 수 있을 것이다. 나중이란 없다. 지금 행복하지 않다면 영영 행복할 수는 없다. 인생은 언제나 오늘 밖에 없기에 내가 진정으로 하고자 하는 바를 뒤로 미루지 말자.

본연의 자신 재생 순환소. 우리집

'앙드레 모루아'의 말처럼 '가정'이란, 우리 자신을 있는 그대로 보여줄 수 있는 단 하나의 장소였다. 나에게 가장 편안하고 안락한 공간의 우리 집. 가족이라는 울타리와 함께하는 우리 집이란 공간은, 살갗에서 저절로 일어났던 꺼풀의 허물을 있는 그대로 받아주며, 걱정과 위로란 따뜻한 손길로, 나란 존재를 어루만져 주었던 유일한 곳이었다. 보이지 않는 어둠 속에서도 나를 가장 아름답게 받아주었던 건 우리 집 뿐이다. 또한, 한없이 아팠던 나를 보호하며, 감싸주고, 다시 일어설 수 있는 힘을 북돋아주었던 것도, 우리 가족들이며, 우리집이었다. 사랑으로 넘쳐나는 우리 집이 너무나도 좋다. 요즘은 하루하루, 정말이지 살맛이 난다. 소소하게 꾸준히 하루하루를 하고 싶은 일들로 채워간다는 느낌이 이토록 좋은 것인지 예전에는 몰랐다. 일상을 내가 좋아하는 일들로 가득 채우며 지내다 보니, 정말이지 24시간이 모자라다. 다시 돌아올 수 없는 시간은 그저 너무나도 빠르게만 흘러가고, 하루는 너무나도 짧게 다가올 뿐이다. 요즘의 나는 이제껏 겪어본 적 없는 새로운 차원의 충만함으로 일상을 가득 채우는 나날로 가득하다. 시끌벅적한 모임에 가지 못해도, 이런저런 행사에 쫓아다니지 못해도, 멋진 곳으로 훌쩍 떠나진 못해도, 나에게 필요한 모든 것이 갖춰져 있는 곳이, 바로 따뜻하고 안락한 우리 집이다. 이곳에서, 다음 날 하고 싶은 일을 하기 위한 에너지 충전과 몸의 건강한 유지를 위한 이유로, 편안히 잠에 들고, 기운이 빠져버린 나에게, 기운이 북돋아버리는 에너지 충전이 완료 되어버리는 순간, 잠에서 후딱 깨어나 버린다. 그러고는 하고 싶은 일에 휘리리릭 깊게 빠져들어 본다. 이러한 하루가 반복되어오니, 나는 참으로 '다 가진 사람'으로 태어난 것 같다는 생각이 들어온다. 사소한 나의 일상은 우울해진 기분을 잊을 수 있게 도와주고, 또한 내가 뭐라도 된 것 같은 기분을 선사해 주며 어깨가 펴지면서 씩씩하고, 당당한 나로 만들어 준다. 노트북과 스마트 기기, 보고 싶은 책들이 놓인 반듯한 책상 앞에서, 유난히도 좋아하는 커피 한잔 마시며, 사색을 즐겨본다. 무엇보다 우리 집과 나의 이야기가 쌓이고 쌓여, 이 공간은 나에게 너무나 친숙한 공간이 되어버렸나 보다. 느긋함이란 것을 불러일으키는 공간이 바로 우리 집의 내 방이기 때문이다. 가만히 눈을 감고, 깊게 숨을 후우 내셔 본다. 음악을 들으며 사색에 잠겨버리면, 감상에 젖어 세상을 더 깊고 섬세하게 음미해 볼 수 있는 것, 그것이 사는 맛의 달콤함이 아닐까? 그냥 너무나도 아름다울 뿐이다. 진동 주파수의 세기마다 다른 소리가 나는 것을 듣기 좋게 조합해서 박자, 가락, 음성 등을 갖가지 형식으로 조화하고 결합하여, 목소리나 악기를 통해 자신의 사상이나 감정을 나타내는 청각적인 예술의 세계인 '음악'을 들으며, 느끼고 음미하고, 생각하게 만드는 감상할 줄 아는 삶은, 나에게는 쾌락을 건네주는 일상의 즐거움 중 하나다. 그윽하고 잔잔한 마음으로 울려대는 일상의 힐링타임들. 편하게 쉬고 행복한 일상을 유지할 수 있는 힘을 가져다주는 것은 나만의 공간이다. 휴식처야 말로 집의 역할이다. 집은 건강을 회복하고, 현실을 벗어나 한가롭게 꿈 속을 거닐고, 가만히 쉴 수 있게 도와주는 곳이어야 한다. 제일 마음의 평온을 느낄 수 있는 곳이, 집이기에, 나는 우리 집에서부터 시작되고 세상과 연결되어가는 느낌이다. 모든 것이 멈춰있는 듯 보이지만, 실은 모든 것이 새로이 시작되고 있었다. 그 설렘에 하루하루를 보내게 되고 마음은 온통 감사의 빛깔로 물들었다. 가족끼리 단란하게 식사 한 끼 하는 일상, 따듯한 집에서 차분하게 글을 쓰는 편안하고 평온한 시간. 이런 소소하고도 조촐한 삶이 얼마나 소중하고 행복한 것인지, 유난히 뭉클하게 마음속으로 다가온다. 한없이 평안한 집안의 온기는 지금 내가 숨 쉬는 이 현실이 문득 기적인 듯 느끼게 해 줄 때도 있다. 어쩌면 이토록 고요하고 평화로운지 너무나 기분이 여유롭고 좋다.

나만의 공간.

'나만의 공간'이란, 그 누구도 방해하거나 침범할 수 없는 나의 안식처다. '집'이란 그저 내게 제일로 편안한 공간이라고 할 수 있다. 아무것도 없는 공간을 만들어내려면 무언가를 둬야 한다. 정말로 아무것도 없는 공간은 그냥 넓은 공간에 지나지 않는다. 그곳에 무언가를 둬야만 아무것도 없는 공간을 느낄 수 있다. 유 = 무, 무 = 유가 되는 것이다. 마이 라이프에 있어, 나에게 최적으로 적당한 물건을 선택하여, 소유하게 된 것들로 이루어진 나의 집안을 디테일하게 꾸미고 맞추어나가며 유용하게 살아가는 것이 내가 중요하게 생각하는 부분이 되었다. 나는 심플하게 살고 싶다. 심플하게 산다는 것은 그저 정리 정돈만 잘

하는 것이 아니다. 검소하게만 생활하면 되는 것이 아니다. 자신이 중요하다고 여기는 것을 가려낼 줄 알아야 한다. 지금 나에게 가장 중시해야 할 것은 무엇인지, 지금 생활에서 정말 필요한 것은 무엇인지. 물질적인 것과 정신적인 것을 모두 포함하여 자신이 중요하게 여기는 것이 무엇인지에 대해 관심을 두어야 한다. 우리는 참으로 편리한 세상에서 살아가고 있다. 일상생활 속에서 로봇, 기계들로 인해 자신의 몸을 움직일 수 있는 상황이 현격히 줄어들고 있다. 이미 갖고 있는데 신상품이 나오니 새로운 것을 사서 바꾸고 아직 충분히 사용할 수 있음에도 버리게 된다. 자꾸만 새로운 것에 눈길이 가는 것은 어쩔 수 없나 보다. 이는 욕심이 욕심을 부르는 상태로 결코 행복하다고는 말할 수 없다. 물건과 사람 사이에도 인연이라는 게 있다. 수많은 물건 중 단 하나만이 자신의 곁으로 찾아온다. 자신의 곁에 있는 것은 단 하나다. 그 인연을 소중히 여겨 물건을 아끼는 마음을 갖는 것이야말로 행복이 아닐까. 나는 언젠가부터 물건을 소중히 여기는 마음을 키워왔다. 인연이 있어 자신의 곁으로 와준 물건. 그 물건과 자신이 일체라는 마음을 가져보자. 하나의 물건을 소중히 여기면 불필요한 물건이 늘 일이 없다. 물건이 늘지 않는다는 것은 잡념이 늘지 않는 것과 같다. 오랜 세월을 함께한 물건에는 많은 추억이 깃들어 있다. 그 물건들을 바라보는 것만으로 그것은 당신의 인생 이야기가 아닐까. 우리 집 나만의 소유 물건들의 존재감은 하나하나 선명하다. 방치되어 있거나, 내가 모르는 물건은 하나도 없는 것에 감사하다. 내가 너무나 바라는 것이 있다. 비우고 비워 내가 지닌 물건들과 불편함 없는 관계로 지내고 싶은 심정이다. 쓸모없는 소유물들을 비워나가면, 남게 된 소유물들은 더욱 더 소중하게 빛나보이니까. 많은 물건을 다 활용할 줄 아는 살림꾼의 지혜로움보다는, 우왕좌왕하는 물건을 관리하는 스트레스에서 벗어나 오히려 부족한듯 보이지만 모든 것이 편리한 집의 리듬을 만들어내고 싶은 것이 나의 바램이다.

"내가 많은 집을 가졌다면 훨씬 불행했을 것이다. 나는 필요한 모든것을 가진만큼, 더 이상 소유는 필요없다." <워렌버핏 (버크셔 해서웨이 회장)>

작은집을 꿈꾼다.

너무 많은 것을 움켜지려는 건 욕망의 삶이다. 거의 모든 사람이 제 욕망이 부추기는 대로 살아가는데, 이 삶의 바탕을 이루는 것은 나에 대한 집착의 과도함이다. 욕망을 비우고 집착을 그쳐야 한다. "아무것도 없는 집에 살고 싶다는 욕망이 커요. 마음이 쉴 수 있도록 아름다운 집에서 살고 싶어요" 내가 바라는 것은 아무것도 없는 비어진 공간이다. 새로운 생활의 계기를 갖고 싶었다. 단순하게 살고 싶어 나는 작은 집에서 살아가는 것을 꿈꾼다. 작은 집은 집세나 유지비가 적게 든다. 집에 들이는 돈을 벌려고 너무 오래 일하지 않아도 된다. 큰 집은 집세나 융자는 물론이고 난방비나 세금 따위 부담을 늘릴 뿐이다. 큰 집은 청소하기도 힘들고, 관리하는 데도 돈과 시간이 더 많이 든다. 내가 부잣집 딸이라 해도, 벼락부자가 된다해도 너무나 큰 집, 소유물 때문에 그 집은 뒤죽박죽 정리가 안될 때가 있을 수 있고, 그 집을 관리하기가 너무 힘이 들겠다는 생각이 들었다. 난 소유물들을 모으기 싫다. 이것들을 지키기 위해 내가 그 소유물에 지배당해 소유물을 관리하는 일을 해야하니까. 큰 집을 위해서가 아니라 다른 일에 돈과 시간을 쓰고 싶고, 조용히 책을 읽고 사색할 공간을 꿈꾸며 작고 소박한 생활을 원한다. 물건을 소유하려면 돈을 벌어야 하고, 일에 매이면 가족과 지내는 시간, 책 읽고 여행할 시간은 사라져버린다. 나는 물질을 좇는 삶의 방식에서 단순한 방식으로 삶을 바꾸고 싶었다. 나는 불필요한 것들을 버려버리고 최소한의 공간 속에서 소박하게 살려는 의지를 지니고 있다. 대량생산과 대량소비로 움직이는 현대적 생활 방식에 등을 돌리고 생태 지향적 삶의 방식으로의 첫걸음을 내디뎌 본다. 욕심을 버리고 작은 집에서 살아가는 길은 현대 생활의 낭비와 불행에서 자유로워지는 길이니 말이다. 옛날에는 크다는 게 성공의 한 징표로 떠돌아다니곤 했다. 너도 나도 큰 것을 좇아다니고, 더 많이 소유하려고 노력해왔다. 하지만 지금 시대에서 그 패러다임은 낡았다. 패러다임이 바뀌었다. 집안이 잡동사니로 뒤엉켜 복잡하다면 인생도 복잡해진다. 나는 커다란 욕망을 내려놓고 낭비 없이 꾸리며 사는 삶을 원한다. 건축가 루트비히 미스반데어로에는 "더 적음이 더 많은 것이다."라고 말했다. 더 적음이 더 많다는 사실은 지혜로운 통찰이다. 작은 것이 더 좋다. '작게 사는 것'이 더 큰 삶이다. 집이나 물건들뿐만 아니라, 소비 규모, 인간관계들, 인생을 '다운사이징'해보자. 다운사이징은 말 그대로 down+size(sizing), 크기를 작게 줄이는 것이라는 정도의 뜻으로 나타낼 수 있다. 나이가 들수록 인생의 '다운사이징'이 필요하다. 나이가 들어갈수록 기력이 줄어들 테니 큰 것들을 감당해 내는 일이 점점 더 힘들어지기 때문이다. 우리의 삶은 소유가 아닌 의미를 찾아 내려가는 여행이다. 낭비 없는 삶을 살려면 작게, 더 작게 규모를 줄이는 일이 필요하다. 집은 머무는 이들이 평안하기 위해 존재하는 것이 아닐까. 공간을 가뿐하게 유지하는 가볍고 여백 많은 나만의 '쉼터'에서 사랑하는 사람들과 행복하게 살아가는 모습을 꿈꿔본다. 너무나 크고 풍성한 집보다는 화려하지 않지만 아담하고, 소박하게, 여유롭게. 부족한 듯 너무나 적당해서 편안하게 소소하게. 앞으로의 나는 작은 집에서 사랑하는 가족과 생활하며, 소소한 행복을 찾아가는 것으로 나만의 출중한 행복이 계속되길 원한다. 그것이 내가 생각하는 평온한 행복의 아름다움이 담긴 '여백의 미라이프'니까. 이제 욕심을 부려 무엇을 채우기보다는 점점 자신을 비워내보자. 큰 것만을 좇던 시대의 습관에서 벗어나야 제대로 된 삶을 살 수가 있다. 더 큰 삶을 위한 지출과 소비를 절제해 보아야 한다. 최소의 소유로 최대의 행복을 누리는 법은 '작게 사는 것'이다. 단순하게 살되 생각을 크게 품어보아야 한다. 더 많이 비우고 덜어내어 보자. 단순하게 살기 위해서는 모든 것이 작아져야 한다. 소유와 물질로 가는 욕망을 끊고, 몸과 마음을 단순화하면 훨씬 더 살 만해진다. 욕망은 집착을 낳는다. 집착에서 벗어나면 자유로워진다. 단순한 것이 아름답고, 작은 것이 크다. <청소력>이라는 책에 이런 말이 있었다. '내가 살고 있는 자신만의 작은 숲이 바로 당신 자신입니다.' 이 말처럼 나는 내가 원하는 작은 숲을 만들어나가고 싶다. 이 숲의 설계는 나의 마음상태의 깨끗함과 청결함을 만들어 나가는 것이다. 나만의 숲 속에 나만의 행복이 숨겨져 있다. 내가 어느 때, 우리 집에서 독립해야만 하는 순간이 찾아온다면, 그저 난 나만의 공간에서, 내 소신으로 선택한 물건으로만 이루어진 집에서 부족함 없이 아름다운 자연을 느껴가며, 반려동물과 함께 살아가고 싶을 뿐이다. 고독이 없다면, 고독을 체험하기 위한 자기만의 장소가 없다면 자신의 내면 깊은 곳에 이르기는 불가능하다. 모든 사람은 각자 자기만의 구석이 있어야 한다. 누구도 신경쓰지 않고 그 곳에 혼자 머물 수 있어야 한다. 자신을 재발견하기 위한 유일한 해결책은 혼자 머물 수 있는 자기만의 공간을 갖는 것이다. 나의 집에서 독립된 공간으로 탈출하고 싶다는 욕망이 커다랗다. 언젠가는 나만의 방식으로 가장 중요한 것만을 위해 에너지를 쏟는 미니멀리스트로서의 변화를 도모해야 한다. 나는 그렇게 미니멀리즘을 향한 여정을 그려나가고 싶다.

참된 럭셔리의 삶

럭셔리 하우스, 럭셔리한 삶. 주생활 광고를 보면 '럭셔리하다'는 말이 자주 등장한다. 톱스타가 고급저택을 공개하면 그날 신문기사의 앞머리는 어김없이 '럭셔리한 일상'이란 말로 장식된다. 사전에서 '럭셔리'를 찾아보면 '호화로움, 사치, 사치품, 드문 호사'로 쓰여있다. 내가 생각하는 럭셔리한 삶은 쇼핑에 중독되어 옷을 사는 것이 아니라 절충주의, 궁상과 절약의 경계선에서의 미를 찾아 자신을 치장하는 것이다. 나는 화려함의 럭셔리 삶을 꿈꾸지 않는다. 관심도 없다. 초라하고 구식이라는 시선을 받아도 상관없다. 중요한건 나를 편안하게 해주는 생필품과 나의 공간이다. 꼭 필요한 물건들만이 놓인 소박하고도 쾌적한 내 집에서 살고싶다. 그 안에서 안분지족하며 24시간의 주인이 되어 사는 것이 나의 드림이다. 프랑스 국적의 세계적인 조향사 '장 클로드 엘레나'는 럭셔리에 대한 정의를 달리했다. "진정으로 럭셔리한 삶은 자기 자신과 조화를 이루는 삶이다. 럭셔리는 소유가 아니라 공유다. 소중한 사람과 즐거운 시간의 경험을 공유하는 것이다." 내가 아끼는 사람들과 행복한 시간을 보내고 추억을 만들며 세상과 내가 조화를 이루는 참된 럭셔리한라이프. 조촐하지만 아담하고 깨끗하고, 난잡하지 않고, 깔끔한 삶을 지향한다. 복잡하고 호화로운 삶이 아니라 자연의 냄새가 나는 단순하되 맵시있는 길이 내가 원하는 삶이다. 진짜 인생은 정리 후에 시작된다. 마음이 설레는지, 설레지 않는지를 기준으로 모든 물건을 가려내 제대로 버려야 한다. 마음이 설레는 물건을 제대로 남겨야 한다. 그래야 그때부터 비로소 이상적인 생활을 할 수 있다. 물건을 소중히 하는 것은 곧 자신을 소중히 하는 것임을 기억하자. '나는 무엇에 설레고, 무엇에 설레지 않는가?' 나라는 사람이 무엇에 설레는가를 판단하는것은 자신이 어떤 사람인지를 파악하는 중요한 계기가 될 수 있다. 이는 우리의 생활, 아니 인생을 설레게 하는 원동력이 된다. 버리는 것으로부터 새롭게 태어난다. 버린다는 행위는 새로운 자신이 되기위해 불필요한 요소를 버려나간다는 것이다. 버리지 않으면, 새로운 것은 들어오지 않는다. 새로운 운명도 다가오지 않는다. 이것이 법칙이다. 모두에게는 자신만의 색이 있다. 이렇게 우리는 자기만의 색을 향유하고 살다가 하늘로 떠나간다. 나만의 색깔을 갖고 있어 자유롭게 사는 삶, 타인과 평화로이 공존하는 삶. 그런 맛깔나는 삶을 살아나가보자.

평범한 일상의 루틴

줄을 가지런히 맞춰야 마음이 편하고 정리정돈이 되어야 안심이 든다. 집안을 뒤죽박죽 만들고 싶지 않다. 나는 서서히 집안 구석구석에서 부터 인간관계까지 정리해 나가려고 한다. 나를 흔들리게 하는 사람도, 불쾌함을 남기는 관계도, 복잡하게 나를 얽매던 인연들도 정리하고 싶다. 이제는 무언가 배울게 있고 본받을게 있는 인연에 집중하고 싶다. 이렇게 물건도, 사람도, 마음도, 나를 구성하는 요소도 나름 기준을 세워 정리하고 나면 그렇게 편하고 좋을 수가 없을 것 같다. 삶도 너무나 명료해질 것만 같았다. <월든>의 저자이자 사상가인 헨리 데이빗 소로우는 '자기 자신과 잘 노는 사람이 진정 성숙한 사람'이라고 했다. 나도 여유가 생기면서 혼자 즐겁게 노는 방법을 찾아내었다. 온전히 내가 하고 싶은 것만을 하며 기분좋게 살기위해 기분좋은 습관을 만들었다. 아침에 일어나면 화장실로 달려가 샤워를 하며 폼 클렌저로 얼굴을 씻는다. 샤워한 후 화장품 개수도 딱 소량만 두고 정량만 바른다. 아침에는 몸무게를 잰다. 물과 맥심커피를 마신다. 그리고는 노트북 컴퓨터를 켠다. 블로그를 확인한다. 그리고 책을 읽으며 글을 쓴다. 빨래물을 세탁하고, 세탁 한 후 빨래를 건조대에 널어놓는다. 가끔 설겆이를 하며 엄마를 도와드린다. 이 평범한 일상의 루틴이 평화와 자유로움을 가져온다. 내 상황과 처지에 맞는 루틴을 만들고 과부화된 계획을 세우지 않고 꼭 해야만 하는 일만 찾아 짜임새 있는 하루를 보내니 나만의 질서가 생겨 매우 만족스럽고 쓸데없는 감정에 휘둘리지 않는다. 살아있는 순간까지 생산적으로 살고싶다. 그래서 오늘의 나는 몸과 마음이 건강하게 조화를 이룰 수 있도록 일상에서 일정한 체계와 리듬을 지켜나가본다. 루틴은 뼈대와 같다. 뼈대가 튼튼하면 일상이 무너지지 않는다. 기분좋은 습관은 기분좋은 삶을 만들어나간다.

카르페 디엠, 오감의 행복

잠에서 깨어나 시원한 아메리카노 커피 한 잔과 물을 마시면 나의 미각은 행복해진다. 하루 일과를 시작하기 전에 따뜻한 물로 샤워한 뒤 비타민 바디로션을 몸에 사르르 발라주고 얼굴에는 묽은 스킨과 묵직한 옐로우색의 크림을 발라주면 나의 촉각은 행복해진다. 나의 플레이리스트에 저장된 내 취향의 좋아하는 음악을 들으면 나의 청각은 행복해진다. 어지럽게 쌓여 모인 빨래물들을 세탁하고, 세탁한 후 빨래를 가지런히 건조대에 널어놓은 뒤, 빨래가 말라 옷을 반듯이 개어놓으면, 나의 시각은 행복해진다. 손이 더러워져 화장실에서 손을 씻고 향기좋은 비누의 향을 느끼게 되면 나의 후각은 행복해진다. 오감은 시각·청각·후각·미각·촉각 등의 5가지 감각으로 감각을 신체에 있는 감각수용기의 종류로 분류한 것이다. 시각은 눈의 망막, 청각은 귀의 달팽이관, 후각은 코의 비점막, 미각은 혀의 미뢰, 촉각은 피부가 수용기이다. 행복이란 매 순간 내 오감이 만족할 때 찾아오는 것이 아닐까? 고대 로마의 시인 호라티우시가 시 <오데즈>에서 카르페 디엠 Carpediem을 말한다. 우리말로는 '현재를 잡아라(영어로는 Seize the day 또는 Pluck the day)'로 번역되는 라틴어(語)이다. 영화《죽은 시인의 사회》에서 키팅 선생이 학생들에게 자주 이 말을 외치면서 더욱 유명해진 용어로, 영화에서는 전통과 규율에 도전하는 청소년들의 자유정신을 상징하는 말로 쓰였다. 키팅 선생은 영화에서 이 말을 통해 미래(대학입시, 좋은 직장)라는 미명하에 현재의 삶(학창 시절)의 낭만과 즐거움을 포기해야만 하는 학생들에게 지금 살고 있는 이 순간이 무엇보다도 확실하며 중요한 순간임을 일깨워주었다. 현재를 산다는 건 매 순간의 느낌을 놓치지 않는다는 의미다. 카르페디엠의 말처럼 현재의 일상에서 나만이 느낄 수 있는 행복감을 느끼며 살아가보자. 자기 자신의 일상 오감의 쾌감을 찾아야 더욱더 행복해진다.

본질에 가까운 삶

현대사회를 구성하는 것들이 빚어내는 빠르고 복잡한 것들에서 벗어나 느리고 단순하게 사는 삶을 선택해 보는 것은 어떨까. 단순함은 조촐하지만, 복잡함이 판치는 세상에서 불필요한 요소들을 빼면서 진실과 미를 결합하여 참된 것을 향해, 진정성과 실제에 바탕을 둔다. 단순함은 욕심과 사심을 비워내며 작은 것은 크다는 생각이 들게 한다. 나는 작은 욕망으로 시작되는 삶의 단순화를 꿋꿋하게 지지한다. 낭비 없는 참된 기쁨으로 가득한 삶을 예찬한다. 심플해지고 작아지려는 흐름으로 작고 단순함에서 화사함과 아름다움을 새롭게 발견하려는 사람들이 늘어나고 있는 듯하다. 미니멀라이프는 본질에 더 가까운 삶이다. 성공과 소유의 신화를 따르는 게 아니라 가치와 충만함을 추구한다. 미니멀라이프를 추구하는 사람은 자신만의 욕망을 비우고, 비우고, 비운다. 제 생활을 최소 주의로 제한하고 생활방식을 단순화하는데 나는 이런 단순한 삶에 더 깊은 행복감을 느껴버린다. 덜 사고 덜 쓰며 단순하게 살아가는 것이 내가 살아가려 하는 삶의 방식이다. 번거로움과 복잡함에서 벗어나 최소주의를 지향하되 아름답고 기능에 충실한 것을 필요한 만큼 사서 쓴다. 단순함은 본질을 지향하는 간소한 생활을 한다는 것이다. 단순하게 살고 싶은가? 그렇다면 먼저 주변에 흩어져 있는 물건들을 정리해 보자. 쓰지 않는 물건들은 필요가 없는 것들이다. 그것들을 다 버리며 물건의 수를 줄이고 간소한 생활을 되찾는 것은 나의 본질의 생활로 되돌아가는 것과 같다. 물건들은 삶에 필요한 환경이자 일부이지만 필요 이상으로 넘치게 되면 짐으로 전락해 버린다. 간소한 삶을 바란다면 최소의 물건들에 만족해 보자. 어떤 필요에서 물건을 구매할 때 단순하면서도 기능에 충실한 것들을 사보자. 꼭 필요한 물건이 본질에 충실한 물건이다. 오래 쓸수록 멋과 품위가 있는 물건이 좋은 물건이다. 본질에 충실한 물건들은 시간이 흐를수록 그 진가를 드러낸다. 왜 단순하게 살아가야 할까? 그 이유는 물질에 몸과 마음이 매이지 않아야만 비로소 인생과 그 본질적 가치에 집중할 수 있기 때문이다. 먼저 버려라. 단순함과 간소함 속에는 삶의 진리가 숨겨져 있다. 넘치기보다는 부족한 듯 사는 것. 그 간소함 속에서 본질과 진리가 빛난다. 돈을 좇지 않았으면 좋겠다. 돈으로는 비싼 물건을 살 수도 있겠지만 행복과 자유를 얻을 수는 없기 때문이다. 권력이나 출세를 탐하지 않았으면 좋겠다. 그것을 거머쥐면 한순간 우쭐하며 만족할 수는 있겠지만 그 만족은 길지 않기 때문이다. 삶을 단순화하되, 행복과 열정을 좇았으면 좋겠다. 간소한 물건들에 자족하며, 자유와 기쁨을 좇았으면 좋겠다. 짐이 되는 것들을 덜어내고 버린 뒤 인생의 진정한 가치들에 집중했으면 좋겠다. 나의 일은 무엇인가 정리를 하는 일이다. 항상 나는 정리를 한다. 정리하고 버림으로써, 그나마 숨을 쉴 수가 있다. 나의 머릿 속에 있는 생각들, 행동, 공간, 물질 모든 것을 정리함으로써 나는 지금에서야 가슴속의 상쾌함을 느낀다. 불필요한 것들을 버려버리는 것이 내가 쉴 수 있는 공간을 마련해 준다. 정리하고 버리는 것은 나의 일이다. 많은 물건들이 널려있으면, 마음부터가 복잡해져 버린다. 휑한 백지상태가 좋다. 그 백지상태는 또 다른 새로운 것을 생각하게 되고 상상할 수 있으니까. 나는 내가 살아왔던 세계를 스스로 차단하기로 했다.

평범하게, 소박하게

타인과 친하게 지내기 전에 먼저 나 자신과 친하게 지내며, 나란 사람을 소중히 사랑할 줄 알아야 한다. 나를 사랑할수록 자신의 방어막은 커지게 되고, 단단해지니 말이다. 나를 먼저 알고, 사랑하고, 소중히 다룰 줄 알게 되면, 아무리 어떠한 개성을 지닌 타인을 만나게 된다 할지라도, 튼튼한 나 자신의 방어막 때문에, 타인의 어떠한 이야기에도 흔들리지 않고, 아무리 기분이 나쁠지라도, 그리 크나큰 상처를 받지 않는다. 상처를 받을지라도 며칠이 흐르면 상처의 기운은 너무나 쉽게 가볍게 흩어져 사라져 버린다. 하나뿐인 나의 소중한 인생을 위해 우리가 찾아야 할 것은 혼자서도 시작할 수 있고, 나의 시간과 건강을 해치지 않으며, 자신의 관심사 영역에서 하면 할수록, 머리와 몸이 단련되고 기술이 늘어나는 좋아하는 일을 찾아야 하지 않을까? 나는 평생 나에게 즐거움과 보람을 선사하는 '놀이' 같은 좋아하는 일을 찾고, 그 일을 하며, 작고 소박한 마음의 시작으로 행하게 되는 정신으로, 다음의 목표를 향한 삶을 살아가고 싶다. '소박하다'는 사전적으로 꾸밈이나 거짓이 없고 수수하다는 뜻이다. 자신이 제일 좋아하는 일이 아무리 적게 버는 일이 될지라도, 그 일에 공들이게 되면 공들인 만큼 그 일은 아무리 느릴지라도, 조그만한 알맹이만큼이라도, 조금씩 커져간다는 것이 세상의 법칙이 아닐까.

호사다마

현기영의 소설 <변방에 우짖는 새>에는 이런 대목이 나온다. "호사다마라고 덕산 댁은 복남이를 낳고 산후 조리가 잘못되었던지 얼마 후 중풍에 걸려 몸져눕고 말았다. 덕산 댁이 복남이라는 아들을 낳아 기뻤는데, 불행하게도 중풍에 걸리는 나쁜 일이 생긴 것이다." 好 : 좋을 호, 事 : 일 사, 多 : 많을 다, 魔 : 마귀 마 '호사다마 [好事多魔]'란 고사성어가 있다. 이 말은, '좋은 일에는 탈이 많다.'라는 뜻으로, 좋은 일에는 방해가 많이 따른다거나 좋은 일이 실현되기 위해서는 많은 풍파를 겪어야 한다는 것을 의미하는 말이다. 호사다방(好事多妨)이라고도 하는데, 중국 금나라 때 동해원(董解元)이 지은 <서상(西厢)>에는 '진소

위가기난득(眞所謂佳期難得), 호사다마(好事多磨)'라는 구절이 있다. '참으로 이른바 좋은 시기는 얻기 어렵고, 좋은 일을 이루려면 많은 풍파를 겪어야 한다.'라는 뜻이다. 또 중국 원나라 때 남희(南戲)의 희곡 〈비파기(琵琶記)〉 중에 나오는 대사에는 이런 것이 있다. "호사다마라, 풍파가 일어날 것을 누가 알겠는가?(誰知好事多磨起風波)" 그리고 중국 청나라 때 조설근(曹雪芹)이 지은 〈홍루몽(紅樓夢)〉에는 이런 구절이 있다. "그런 홍진 세상에 즐거운 일들이 있지만 영원히 의지할 수는 없는 일이다. 하물며 또 '미중부족 호사다마(美中不足 好事多魔)'라는 여덟 글자는 긴밀하게 서로 연결되어 있어서 순식간에 또 즐거움이 다하고 슬픈 일이 생기며, 사람은 물정에 따라 바뀌지 않는 법이다." 이 말은 '좋은 일에는 방해가 되는 일이 많이 생길 수 있으니 방심하지 말고 늘 경계하라.'라는 뜻이다. 같은 의미로 '좋은 일은 오래 계속되지 않는다.'라는 뜻으로 호몽부장(好夢不長)이라는 말도 있다. 또는 좋은 일이 계속 일어난다 해도 방심하지 말라는 경계의 의미에서 '세상 일은 복이 될지 화가 될지 알 수 없다.'라는 뜻의 새옹지마(塞翁之馬)와 함께 쓰이기도 한다. 결론적으로 와닿았던 글은, "지금 즐겁다고 방심하지 말고 지금 슬프다고 낙담하지 말라."즐거움이나 슬픔에 취해 있지 말라는 이야기였다. 감정에 흔들리지 말고, 꾸준함을 지켜 나가는 것이 중요하다. 즐거움이 다하면 언제든 슬픔이 찾아오니 말이다. 슬픔이 찾아왔다 하더라도, 언제든 즐거움과 기쁨을 누리는 순간 또한 찾아오게 되어있다. 어떠한 감정이든 돌고 도는 것이 인생이다. 우리가 지금 겪는 감정들은 일시적인 것으로, 우리는 그 다음에 다가올 것들에 대한 준비를 항상 하고 있어야 될 듯 하다. 아무리 힘든 순간이 다가온다 해도, 자신이 그것에서 벗어나기 위한 방법은 자신이 원하는 삶을 그려나가기 위한 길을 찾아가는 것이 아닐까. 만약 자신의 꿈을 이루지 못하는 환경에 처해있다 할지라도, 미래의 자신이 과거를 후회하지 않는 삶을 원한다면, 버킷리스트로 이루어진 꿈을 좇는 과정을 즐길 수 있기를 희망한다. '인생'이란 즐거운 추억의 총합이니 말이다. 바라는 미래를 위해 자신이 원하지 않는 일들로 현재를 희생해 간다면, 아무리 시간이 흘러도 즐거운 과거는 만들어지지 않는다. 과정을 즐길 수 있어야 바라던 꿈도 의미가 있지 않을까. 그려내고픈 자신의 인생 스토리를 이루어 나가기 위한 시간들로, 주어진 시간을 채워나가는 것. 어찌 보면 주어진 환경에서 자신의 목표를 그려내고, 그 목표를 위해 자신이 선택한 일상으로 하루하루를 보내는 과정이 모든 사람들이 살아가는 '평범하면서도 비범함을 갖춘' 각각의 개성으로 빛나는 사람들의 삶이다. '평범하게, 소박하게'란 정신으로 시작해, 무엇인가 자신이 원하는 것을 이루어가기 위해 살아가는 과정의 삶 속에서 느껴지는 그 '열정'이란 기운이란 것이 가끔은 커다란 '행복'이라는 느낌이 들어온다.

나의 희망이

따스한 봄이 찾아왔다. 어느 날 봄의 아침. 날씨가 너무나 좋게 느껴졌다. 살랑거리는 바람으로 유혹하는 따스한 햇빛이 눈가로 비추니 나의 두 눈을 찌푸리게 만들었다. 나에겐 완벽한 날씨였다. 따스한 기온에 마음속까지 평온해졌다. 추운 계절에는 버들버들 떠는 우리 집 강아지 희망이 때문에 바깥 산책을 잘 시키지 못하곤했다. 희망이는 원래 겁이 많은 소심한 아이다. 밖으로 나가려고 옷을 입히고 목줄을 채우면 무엇을 감지한 것인지 온몸을 부르르 떨곤했다. 밖에 나가는 게 무섭고 두려운가 보다. 우리 집에 데리고 온 지 2년이 된 희망이. 희망이는 원래 길거리에서 주인을 찾아 무작정 헤매고 다녔던 가여운 유기견이었다. 아빠의 친구분이 희망이를 구조하여 아빠에게 한번 잘 키워보라고 하면서, 희망이를 집에 데리고 오셨다. 우리 아빠의 집은 천안에 있고 엄마 집은 남양주에 있다. 나는 남양주 집에서 엄마와 오빠와 함께 살고 있다. 아빠는 바쁜 일 때문에 희망이를 잘 키우지 못할 것 같았다. 그래서 나는 여유로운 우리 집에 희망이를 데리고 왔다. 나는 그동안 귀여운 강아지들을 보며, 너무나 키우고 싶다는 생각이 들곤 했었다. 희망이는 귀염둥이의 얼굴을 가진 너무나 예쁜 치와와 공주님이다. 세상에서 제일 작은 개로 알려진 강아지 치와와. 어떤 대가를 바라지 않고 희망이에게 깊은 마음과 사랑을 주고 있었다. 우리집 희망이는 존재만으로도 너무나 사랑스러웠다. 하루하루 지나갈수록 내가 하는 말을 곧 잘 알아듣고, 우리집에 잘 적응해나갔다. 사료를 잘 먹어주는 것만으로, 내가 주는 간식을 잘 먹어주는 것만으로, 폭신한 이불에, 따뜻한 바닥에 자리를 잡고 깊은 잠에 빠지는 것만으로, 집문 밖에 소리가 들려오면 우렁차게 멍멍 짖으며 우리집을 지켜주는 것만으로 희망이는 충분히 사랑스러웠다. 희망이는 나에게 애교를 떨 때 고민없이 누워 배를 보여주거나 긴 꼬리를 살랑살랑 거리며 나를 바라본다. 희망이 입가에 손을 대보니 희망이가 숨쉬고 있다. 따뜻한 온기의 숨바람이 느껴진다. 희망이의 몸을 쓰다듬으며 만질 때 내가 꿈을 꾸는 기분이다. 살아 있는 귀여운 인형이 내 앞에 있다. 희망이를 안고 얼굴을 부비댈때, 희망이의 이마와 희망이의 몸에서 따스한 체온이 느껴질 때 나는 너무 행복하다. 희망이는 나의 갓난 애기다. 땡글땡글, 말똥말똥, 똘망똘망한 검은 구슬과도 같은 총명한 눈과, 누구나 탐할 것 같은 애플돔 두상의 브이라인 작은 얼굴. 옅은 노란빛 갈색 털로 뒤덮인 희망이는 너무나 사랑스럽고 귀여운 여자아이였다. 희망이의 모습을 지켜볼 때면, 나에게 항상 작은 미소가 찾아온다. 언제나 기분이 좋아졌다. 우리 새로운 가족이 된 치와와 희망이. 쫑긋 솟아오른 여우와 닮은 귀, 복슬복슬 빵빵한 배, 뾰족한 이빨, 길쭉한 꼬리. 내가 현관에 들어오면 좋다고 기뻔듯 짖으며 뱅글뱅글 도는 개인기를 가진 희망이. 희망이의 청초하고 귀여운 외모. 나는 희망이 중독자가 되었다. 하루라도 못 보게 되면 스마트폰에 저장된 희망이의 사진과 동영상을 찾아보게 된다. 우리 희망이는 2.5의 몸무게를 가진 아이였다. 희망이는 배고플 때면 주섬주섬 먹는 정도로, 사료를 잘 먹지 않았다. 희망이는 보통 사료를 먹으면 자주 토를 했다. 사료는 흡수율이 적다는 말에, 사람들이 먹을 수 있는 재료로 만들어진 화식 제품을 구매해 희망이에게 줘보니, 희망이는 화식을 폭풍 흡입하기 시작했다. 이렇게 잘 먹는 아이인지 처음 알았다. 원래 맛이란 것을 아는 입이 고급인 여자아이였던걸까? 자주 토를 하던 희망이는 화식으로 바꾼 후 식욕 넘치는 아이로 달라져버렸다. 이제 자주 토를 하지 않는다. 예전보다 건강해진 것 같아, 내 기분도 든든해졌다.

달콤한 산책길

어느 날의 오후. 희망이와 같이 따스한 햇살을 느끼며 밖을 산책하고 싶어, 달콤한 산책길에 나섰다. 목줄을 채우니 다시 부르르 떠는 희망이를 안고 밖으로 나갔다. 우리 집 밖으로 조금만 걸어가면 바로 산이 있다. 산으로 들어가는 입구 길까지 희망이와 함께 바깥 풍경을 느끼며 느슨하게 걸었다. 총총총. 잘도 뛰어가는 희망이. 이것저것에 매력을 느꼈는지 걸어가다 자주 멈춰서서, 힐끔 주변을 돌아보며, 냄새를 킁킁킁 맡아보곤 한다. 두 눈과 몸으로 직접 느낄 수 있는 햇살로 내리쬐는 맑고 쾌청한 날씨는 신이 주신 최고의 선물이 아닐까? 이런 좋은 날씨에는 내 마음이 활기차지고 신바람이 난다. 행복이란 지금 내 곁에 있다. 좋아하는 음악을 들으며 목적도 없이 걷고 있는 이 길 위로 내리쬐는 뜨거운 빛 속의 아름다운 햇볕. 너무나 예쁜 꽃과 나무들. 초록의 향을 맡고, 바람이 나의 감각을 터치하고. 새의 지저귐이 귀를 깨우는 순간. 세상에나, 돈 한푼 들지 않는데 이보다 더 기분좋은 경험을 선사해주는 것도 없을 것 같다. 이 모든 만족감을 선사해주는 붉은 태양에게 깊은 감사를 건넨다. 오늘은 활짝 새로이 피어난 노란빛의 꽃들을 볼 수 가 있었다. '꽃'은 너무나 아름답다. 선명한 컬러감으로 선사하는 신비로운 분위기가 주는 편안함, 그 꽃을 보며 깊은 호흡을 내보내 본다. 우리 집 앞에 나무와 꽃들을 구경하고 있으면, 나의 삶도 마냥 예뻐져 버린다. 걸어가면서 내 눈에 들어오는 푸르른 나무와 꽃들은 너무나 아름다웠다. 적당히 스미는 바람과 햇빛. 바람에 찰랑이는 작은 잎들. 이 모습들을 감상하는 하루를 보내게 되니, '이것이 정말 기분 좋은 어느 날의 오후구나!'란 생각이 들었다. 보고 듣고 느끼다 보니 산뜻하고 건강한 느낌으로 인한 '안정감'이 스며들었다. 기분전환하기 딱 좋은 따스한 오후. 기분이 평온하고 편안해진다. 자주 걷던 길이라도, 우리 집 주변엔 나무와 꽃이 많아, 그림 같은 전경을 보고 있으면, 순간의 짜릿한 매력을 느낀다.

이렇게 생동감 넘치는 멋진 색감의 바깥 자연 풍경을 감상할 때면 컨디션도 가뿐해지고 기분은 한없이 산뜻해진다. 우리 집 앞에서 느껴볼 수 있는 자연만으로도 행복해질 때가 있다. 누군가 평화로운 어느 날의 오후를 말해보라 한다면, 딱 오늘 같은 느낌의 하루가 아니었을까. 햇빛을 느끼는 따스한 날이 좋다. 나는 오늘도 평화로운 오후를 즐긴다. 이런 날은 마음도 여유로워지며, 어린아이와 같은 순수한 마음을 품게 해준다. 맑고도 파란 하늘과 함께 내리쬐는 따스한 햇빛의 계절 봄은 마음을 깨끗하게 비울 수 있게 도와주며, 아픈 마음을 다독여주었던 치유의 힐링 계절이었다. 나에겐 우리 집 강아지 '희망이'가 있다. 희망이는 나를 기쁘게, 행복하게, 미소를 짓게 해준다. 이름처럼 희망이는 나의 '희망'의 상징이기도 하다. "오래오래 내 옆에 있어줘. 소중한 가족이 되어버린 우리 희망이. 내게 커다란 기쁨의 선물로 다가와 줘서 고마워. 너무나 인형같이 귀여운 우리 희망이. 너무나 사랑해."

사랑의 힘

오랜만에 앨범 사진을 보았다. 앨범 속에는 젊은 시절의 엄마와 아빠의 모습이 담겨있었다. 그 사진과 지금의 엄마 아빠의 모습을 비교해 보니 정말 얼굴이 달라져있었다. “이것이 늙어가는 거구나..” 홍콩 여배우가 생각나는 이목구비 뚜렷한 엄마의 예쁜 얼굴, 훈훈함 묻어나는 잘생긴 아빠의 얼굴. 얼굴에 시간의 흔적을 남기나 보다. 사진을 보니 엄마는 머리숱이 굉장히 많았다. 머리 색깔도 무척이나 새까맸다. 지금 엄마는 머리숱이 많이 없어져 버렸고, 머리카락도 많이 얇아졌다. 흰머리가 매번 올라와서 한 달에 한 번씩 진한 갈색으로 염색을 하신다. 물론 초등학교 때 새치를 달고 다녔던 나도 지금 나이에는 더욱더 새치가 많아져서 엄마와 같이 한 달에 한 번씩 염색을 하러 다니곤 한다. TV를 보게 되면 미적으로도 늙음을 준비해야 한다고 곳곳에서 신호를 보낸다. 광고에서 나오는 곱디고운 젊은 여성들의 콜라겐 광고들.. "젊음을 유지하세요!"라는 말이 내 머릿속에 박히도록 광고들이 넘쳐난다. 온 사방에서는 젊음을 따라 하라고, 젊음을 유지하라고 떠들어댄다. 그러지 않는 것은 게으른 것이라고 주문을 외우기도 한다. 나이 듦을 대하는 이 사회의 태도에 나는 거부감을 갖지만 늙음을 비하하지 말라고 하면서도 나도 늙어가는 게 두렵기만 하다. 나는 과연 어떻게 늙어갈지, 미리 정해놓지는 않았다. 현재 타인의 늙음의 모습은 곧 미래의 나의 늙음이라 생각하고 다시 생각해 보게 된다. 나는 어떤 노인이 될까? 엄마, 아빠가 돌아가시면 나 혼자 어떻게 이 세상에 남아 살아갈 수 있을까? 그 생각을 하면 지금은 너무나 행복한 인생이구나를 느끼게 된다. 매일매일 맛있는 밥을 차려주는 엄마, 카페에 가서 커피를 마시며 같이 재미있는 이야기를 나누는 친구 같은 우리 엄마, 자상한 모습으로 나를 챙겨주는 우리 아빠. 나의 외/친 할머니, 할아버지는 모두 하늘나라로 떠나가셨다. 홀로 남겨진 엄마와 아빠는 지금 무슨 생각이실까? 외롭지는 않으신지,

서글프진 않으신지.. 지금 어떤 생각으로 살아가고 계실까 너무 궁금해진다. 내가 엄마, 아빠의 마음으로 생각해 보니 남겨진 가족이 중요할 것만 같다. 나는 결혼을 하고 싶지 않았다. 이혼을 해서 힘들게 살아가는 많은 지인들을 만나봤기 때문이다. 행복한 가정생활을 이룬다는 것이 쉽지만은 않구나를 느껴왔고, 가족에 책임을 두고 내 삶을 버려야 된다는 생각이 들 때마다 내 인생을 더 자유롭게 살아가고픈 마음이 들었다. 하지만, 내가 늙었을 때를 생각해 보니, 옆에 누군가가 내게 없다면, 너무나 외롭겠구나란 생각도 들었다. 사실 연인이나 배우자조차도 내가 많이 아프다고 했을 때 늘 곁에 있어줄 수는 없을 듯 했다. 실제로는 누군가 아프다 하면 등 돌리는 사람이 많을 것이다. 그런 생각이 들어오자, 사랑이라는 것에 별로 관심을 두지 않기로 했었다. 나는 혼자 있을 때의 편안함, 내 의지대로 모든 것을 선택할 수 있는 자유로움, 그 선택의 책임을 나 혼자만 지면 된다는 생각, 내가 이루고 싶고 해야 할 일이 더 급하고 소중해져 버렸다.

레인보우, 새로운 사랑의 시작

하지만 2021년 4월 사랑도 너무나 소중하고 중요한 것이라는 것을 다시 느끼게 해 준 사람이 나타났다. 그 사람은 오래된 고등학교 동창 친구였다. 고등학교 실용음악과에서 같이 음악을 배우며 친하게 지냈었던 K는 드럼을 전공했다. 그때 그 시절, K는 드럼을 너무나 잘 치는 아이였다. 내 짝꿍이었던 베스트 프렌드 HK는 K의 드럼 치는 모습을 흉내 내며 '문어 같은 애'라며 웃음을 지었다. 나도 HK가 흉내 내는 모습을 보며 엄청 웃어댔었던 것 같다. 고등학교 시절 모습이 기억 난다. HK가 말했던 그대로 K는 문어처럼 자유자재로 몸을 움직이면서 리듬을 타는 워낙 드럼을 잘 치는 학생이었다. 거기에다 장난이 많아

웃기기도 하고 나에게 좋은 음악들을 추천해 준 K는 재미있는 음악친구이기도 했다. 하교 시 우리는 지하철을 같이 타고 다니며 친해졌다. 어느 날은 아우라 클럽 파티 행사에 밴드를 결성해 브랜드 뉴 헤비스와 디사운드의 곡을 커버해 공연을 한 적도 있었다. 공연 당일, 나를 보며 그가 했던 말이 떠오른다. “너, 오늘 예쁜데?”라고 툭툭 건성으로 말을 던져내며 이야기했던 그때 그 시절 그의 말이 나의 기억 속에 지금도 남아있다. 우리는 고등학교를 졸업하고 자주 보진 못했다. 간간이 몇 년씩 주기적으로 안부 연락을 하고 만났던 사이였다. 나는 고등학교 시절, 친했던 선배나 친구, 후배들에게 간간이 안부 연락을 하는 편이다. “잘 지내지?”“오늘 명절 잘 보내” “새해 복 많이 받아” 이렇게 안부를 물으며 가끔 날을 잡아 동창 친구들을 만나기도 했다. 내가 환청으로 고생하고 있었지만 조금씩 환청에서 벗어나고 있던 시절. 어느 날 K에게 전화가 왔다. 이런 저런 이야기를 하며 나에게 사랑고백을 해왔다. "네가 고등학교 시절 나의 첫사랑이었어. 내가 너를 좋아했어. 부산에 같이 놀러 갈래? 자주 데이트도 했으면 좋겠어” 나는 K의 고백을 듣고 너무나 당황하고 말았다. ‘K가 나에게 이런 고백을 해오다니..’ 어떻게 해야 할지 정말 갈팡질팡했던 것 같다. K랑은 그냥 친하게 지내고 싶었을 뿐, 애인 사이로 사귀고 싶은 마음은 전혀 없었다. 친했던 동창 친구를 나중에 하나 잃어버릴 수 있을 것 같은 걱정부터 들었으니 말이다. 나는 그의 전화 고백을 듣고 몇 주간 연락을 하지 않았다. 하지만 K랑 친하게 지내고 싶은 마음은 있었다. 오랜만에 얼굴을 보고 싶다는 생각을 하곤 했었다. '이 정도 기간 동안 그의 고백에 답을 하지 않았다면, 그도 그냥 말없이 넘어가겠지?'란 생각이 들어 난 그에게 다정한 친구처럼 전화를 걸었다. "이날 시간 돼? 오랜만에 얼굴 한번 보자!" 우리는 약속 날을 잡았고 가로수길에 있는 커피스미스카페에서 오랜만에 만났다. 하지만 그날 다시 반복되었던 그의 두 번째 사랑고백, '우리 사귀자'란 제안에 그의 진실된 사랑이 히끄러미 느껴졌다. 곰곰히 생각했다. "이런 애인줄 몰랐어. 왜 이렇게 진지하지? 따스함이 느껴져. 믿어볼 수 있을 것 같아. K와 한번 만나볼까?" 나는 그의 제안을 받아들이기로 했다. 4월 25일. 난 K의 여자친구가 되었다. 고등학교 시절 친했던 동창 친구와 이런 사랑의 관계가 되다니, 정말이지 너무나 신기했다. 그에게 환청의 아픔을 겪고 있다는 말도 털어놓은 상태였었는데, 그런 나의 아픔을 알면서도 가까이 다가와 위로해 주고, 다독여주고, 사랑해 주는 그의 마음이 예뻤고 나에겐 감사한 사랑의 존재로 다가왔다. 시끄러운 고통 '환청'의 아픔이 점점 사라져갈 무렵, '사랑'으로 다가와 준 나의 오래된 동창 친구 K. 나에게 힘이 되는 그의 진실된 말들은 나의 삶의 활력소가 되고야 말았다. 나를 미소 짓게 만드는 기쁨의 엔돌핀. 날 진심으로 사랑해 주는 그의 모습이 좋았다. 그래서 나는 그의 여자친구가 되었다.

여름의 흐름, <아름다운 햇빛 (Beautiful Sunshine)>

아픈 나를 걱정해 주고, 공감해 주고, 위로해 주며, 나를 사랑해 준 그의 따뜻한 사랑. 그를 생각하며 처음으로 시를 쓰고 싶어졌다. 그와 2021년 무더운 여름날을 함께 보냈다.

여름의 흐름,
<아름다운 햇빛(Beautiful Sunshine>

"쨍쨍하게, 따사롭게 내리쬐는 여름의 햇빛.
나의 길들은 어두웠으나 오늘의 난,
너 때문에 웃는다.

아무것도 보이지 않을 캄캄한 어둠 속,
밝은 빛 밝혀주는 너.
무지개빛으로 다가왔던 강인한 사랑의 꽃.

보드라운 너의 모습에 여린 너의 눈물에
파아란 바다와도 닮은 너의 말 한마디에
나의 마음 적셔본다.

다정한 너의 손길. 달콤한 너의 향기.
따뜻한 너의 가슴. 나는 그대에게 내 상처를 묻는다.

계속되는 무더운 여름의 흐름.
강렬한 그대의 사랑의 빛으로
찬란한 그대의 사랑의 꽃으로
나의 마음 시원히 적셔본다.

영혼의 속까지 태울 듯한 햇볕 아래,
함께 춤추는 절묘한 기쁨의 맛.

나는 그대와 뜨겁게 살고 싶다.

맑고 눈부신 그대와 함께 할 수 있다면,

우리가 아름답게 빛날 수 있다면,
붉은 태양의 따가움에도, 그대를 향한 믿음으로,
반짝이는 너의 마지막 별이 되고 싶다."

<JuJusunshine1987>

아팠던 나에게 힘이 되었던 남자친구. 사랑의 힘으로 감싸주었던 그는 나의 행복한 나무. 나는 그 행복의 나뭇가지에 올라타 감싸고 있는 러블리 코알라.

K는 항상 남자답고, 어느 순간 귀엽기도 하고, 당당하고, 감성충만한 빨주노초파남보 다채로운 매력을 가진 사랑의 레인보우다.

사랑의 생일여행

K와 함께 2022년 7월 27일 영흥도에 여행을 왔다. 멋진 가이드로 바닷가를 구경시켜준 그. 우리는 마트에서 장을 보고, 탁 트인 넓은 창문에 바로 해변가가 보이는 펜션에 자리 잡았다. 그 펜션에서의 바다 풍경은 너무나도 멋있었다. 그날 저녁, 우리는 영흥도에서 처음 먹어보는 맛의 찰 광어회를 먹었다. "나는 원래 광어회를 좋아해. 그런데 이런 회는 처음 먹어보는 맛인걸?" 찰 광어는 일반 광어보다 약 1.5~2배 비싼 고급 어종이라 불리며, 일반 광어에 비해 육질이 단단하고 찰기가 뛰어나 씹는 맛이 일품이라는 이야기를 들었다. 찡그린 표정이 지어질 정도로 맛있는 감탄의 저녁식사를 마치고 우리는 그렇게 많은 대

화 없이도 아름다운 사랑의 밤으로 하루를 지샜다. 내 옆에서 코를 골며 곤히 잠들어 있는 그가 너무나 사랑스러웠다. 언제부터일까. 그 밖에 눈에 들어 오질 않는다. 말로는 설명 못할 그의 사랑스러움. 그의 사랑에 내가 힘이 나곤 한다. 나의 활력소가 되어주는 그의 멋있고도 귀여운 모습에 그의 볼과 입술에 뽀뽀를 해주었다. 나를 행복하게 해주겠다는 그. 나는 어떻게 하면 그를 행복하게 해줄 수 있을까? 그만 바라보면 너무나 신기하다. 학교가 끝난 하교길, 지하철을 같이 타고 다니던 고등학교 친한 동창 친구였던 그가 지금의 내 남자친구가 되었다니. 그의 큰 사랑이 담긴 넓다란 마음 바다에 '폭!'하고 퐁당 빠져들고 말았다. 그가 나의 오래된 친구였기에, 나의 감추고 싶은 흑역사 과거의 흔적을 용케도 잘 알고 있지만, 그가 나의 삶을 이해해 줄 수 있다면, 당연히 내가 그때 그 시절의 과거를 잊어버려야겠다는 생각이 들었다. 다음날, 우리는 쨍쨍 내리쬐는 무더운 햇살 아래, 어두움이 그을려진 것만 같은 회색빛 갯벌에서 게와 조개를 찾아가며 바다를 즐기기도 했고, 또 다른 해변으로 넘어서서 K는 수영복을 입고 가슴까지 차오르는 바닷물에 들어갔다. 물과 함께 장난치는 K의 모습은 앙증맞은 장난꾸러기 소년 같았다. 나는 검은색 비키니를 입고 해변에 나가 바닷물에 발을 담그며 차갑지 않은 따뜻한 바닷물을 느껴보았다. 하늘이 주신 선물의 바다는 너무도 멋있고도 광활함이 흘러넘치는 최고의 장소였다. 우리는 아름다운 해변가에서 사진을 찍고 카페에서 커피를 마시면서 재미있는 수다를 나누었다. 다시 펜션으로 돌아와 샤워를 마친 후, 펜션 옥상에 자리 잡아 앉았다. 그리고는 그가 그릴에 구워준 맛있는 장어, 대하, 조개를 먹게 되었다. 땀을 뻘뻘 흘려가며 펜션 사장님이 된 듯한 날렵한 짜임새로 나에게 맛있는 해산물 음식을 준비해 주었던 그. 그렇게 완성된 푸짐한 해산물 음식을 우리는 늦은 저녁 빛의 해변을 바라보며 같이 먹게 되었다. 그릴에 구운 해산물을 다 먹은 후, 그는 남은 조개와 대하로 맛있는 해물라면을 끓여주었다. 매운탕처럼 시원한 국물의 맛을 지닌 해물라면. 그 많은 음식을 먹고 나니 배가 터질 것만 같았다. 배가 불러와도 너무나 맛있는 음식이었기에 참을 수 없이 한 점 한 점을 더 먹기도 했었던 나. 그가 나를 맛있는 음식으로 살을 점점 더 찌우게 할 모양이다. 맛있는 해물의 신세계로 인도해 준 그는 해산물에 대해서 잘 알고 있는 노련한 미식가였다. 여행을 떠나 그가 골라준 해산물 음식은 내겐 너무나도 맛있고도 정성이 느껴지는 음식이었다. 그렇게 시간이 빠르게 흘러가고 7월 29일 12시가 다가오고 있었다. 7월 29일은 내가 태어난 생일이었다. 펜션 주변에는 케이크를 살만한 곳이 없었나 보다. 내 옆에서 생일 케이크를 고민하고 있는 그에게 말했다. "난 오예스 케이크라도 괜찮아!" 나는 가까운 편의점에서 케이크 대체용으로 오예스를 먹어도 좋겠다고 말했지만, 그는 늦은 저녁 케이크를 사오겠다며, 혼자 밖에 나갔다가 우리 숙소인 펜션으로 다시 돌아왔다. 늦은 시간에 케이크를 살 곳이 없었다며, 허쉬 아이스크림을 사 온 그. 그는 생일 초는 어디서 구했는지 허쉬 아이스크림에 초를 3개 꽂아 생일 축하한다며 노래를 불러주며 작은 생일파티를 열어주었다. 너무나도 순수한 사랑의 눈빛으로 말이다. "생일 축하합니다. 생일 축하합니다. 사랑하는 쥬쥬 선샤인의 생일 축하합니다" 허쉬 초콜릿 아이스크림 케이크와, 그의 생일 축하 노래. K는 내게 감동적인 사람이었다. 그의 몸짓, 제스처, 목소리, 표정 등 그가 하는 행동과 그의 말이 모두 다 사랑스러워 보였다. 예전에는 느낄 수 없었던 그와의 깊은 사랑이 무엇인지 이제야 깨닫게 된다. 대화가 별로 없이 멍을 때리고 있더라도 그와 함께 있는 것이 너무나 좋기만 하다. 나는 그렇게 그와 함께 영흥도 바닷가 펜션에서 내 생일을 맞이했다. 다음날 아침. 왜일까. 그와 함께 있으면 1초가 아까울 정도로 시간이 금방 지나가 버린다. 그와 3박 4일 여행을 끝내고 헤어질 생각을 하니, 너무나 섭섭한 기분이 들었다. 같이 있어도 계속 그를 보고 싶었다. 그를 매일매일 보며 같이 살고 싶다는 생각이 들었다. 우리 둘은 서로 같이 살고 싶어 하고 결혼이란 것을 원한다. 내가 결혼을 원한다는 것 또한 신기한 일이기도 하다. 나는 결혼을 원치 않는 독신 주의자, 개인주의 성향의 사람이었기 때문이다. 나의 '독신 주의자'의 성향을 깨뜨렸던 것은 아름다운 향기를 느낄 수 있는 그의 진정한 사랑의 향수였다. 하지만, 내가 그의 아이를 낳는다면 잘 키울 수 있을까? 나 자신을 책임지는 것에도 미성숙한 내가 아이를 낳아 기른다는 생각을 하자 걱정부터 앞서온다. 아이를 낳아 기른다면, 육아생활을 하며 성숙한 아줌마가 될 것 같다는 기분도 들어오긴 하지만, 결혼할 생각도, 아이를 낳을 생각도 없었던 내가 그와의 깊은 사랑에 사뭇 고민을 해보게 된다. "내가 늙어 할머니가 된다면 나와 그를 닮은 나의 자식이 하나쯤은 있어야 된다는 생각도 들어와.." 어떻게 될지 모르는 우리의 미래 이야기지만, 이러한 고민을 하고 있는 나를 보니 내가 그로 인해 조금씩 변화하고 있었다. 그의 사랑에 물든 나의 행복. 그 행복을 느끼고 있는 내가 K를 향한 나의 매혹적인 큐피트 화살로 그 또한 행복하게 해주고 싶다는 생각이 들어온다. 지난날 우리는 하루도 빠짐없이 즐거웠고, 사랑했고, 행복했다. 하지만 그게 전부는 아니었다. 그 옆에는 우리가 다툰 시간과 서로에게 상처줬던 나날. 다가오지도 않은 미래에 낙담하던 어두운 감정도 있었다. 밝음의 빛과 어두움의 빛의 이면을 매일 반복했지만 언제 그랬냐는 듯 다시 회복했다. 나는 더 단단한 사람이 되고싶다. 혹시라도 우리 두 사람 중 한 사람이 조금 지치거나 멈추고 싶을 때, 힘이되어주고 끌어주는 사람이 되고싶다. 감정이 상하더라도 쉽게 마음을 비워낼 수 있는 사람. 조금 더 너그러운 마음을 가진 사람이 되고 싶다. 그런 사람이 된다면 적어도 K는 기뻐할 것 같았다. 나는 앞으로 더 바빠져야겠다. 나를 사랑하는 일도, 내가 좋아하는 일도, 계속해나가야하고, 사랑하는 사람을 사랑하는 일도 우리의 관계를 지키기 위한 일도 빠짐없이 해야한다. 나는 오래도록 지속가능한 사랑을 위해 오늘도 성실히 살아가고 싶다.

롯데월드 혜성특급열차를 타기위한 기다림 속
인생의 깨달음.

2022년 10월 21일 금요일. 남자친구 K를 보러 강남구청역 근처에 있는 K의 음악 작업실에 찾아갔다. 코를 드르렁 골며 곤히 잠들어 있는 그. 무척이나 피곤했나 보다. 밤을 새고 오전 10시에 잠이 들었던 그는 12시쯤 작업실에 찾아온 나에게 눈을 씽긋씽긋 찡그리며 말했다. "쥬쥬 미안해. 몸이 안좋은 것 같아. 오늘은 내가 쉬어야 할 것 같아." "알았어. K. 오늘은 푹 쉬어." 그렇게 그는 다시 호르르 깊은 잠에 빠져 들었다. 퇴계원에서 강남구청역 작업실까지 온 나를 멀리하고 잠이 든 그를 바라보며 약간은 삐친 마음이 들었지만 어쩔 수는 없었다. 몸이 안좋은 그를 원상태로 복귀시키려는 건강의 보약은 편한 쉼의 잠 뿐이었다. 그와 재미있게 놀고싶었지만, 몸이 안 좋아 어쩔 수 없이 잠든 그를 옆 방에 두고 심심함을 무릎쓰고 나의 화이트 노트북 컴퓨터를 켰다. 그리곤 글을 쓰며 나 혼자만의 시간을 보냈다. 내가 좋아하는 일은 글쓰기였기 때문에 시간은 금방히도 지나가 버리더라. 밤 10시쯤 되자 졸리진 않았지만 내 머릿속은 지끈지끈 과부화 상태였다. 그래서 소파에 누워 과부화된 나의 머릿속을 맑게 하기위해 잠잠히 쉬기로 했다. 밤 10시가 되었는데도 계속 깊은 잠에 빠져있는 그였지만 나의 삐침 속에서도 잠든 그를 보니 너무나 사랑스러웠다. 다음날 10월 22일 토요일. K가 깨어났다. 피로를 다 풀었는지 원상태의 Feeling으로 돌아온 그. 그가 나에게 말한다. "미안해 쥬쥬. 내가 몸이 안좋아서 쉬어야 했어. 우리 오늘 뭐할까? 일은 잘 끝마쳤어?" 나는 그에게 말했다. "K가 혼자 잠자서 쥬쥬가 심심했어. 일은 끝마쳤어." 그가 물었다. "쥬쥬 오늘 잠실! 롯데월드에 갈까?" 롯데월드라고 하니 기분이 좋았다. 어린시절 고등학생 때 마지막으로 갔었던 추억의 롯데월드. 요즘 추운 계절이 다가왔지만 실내와 실외로 나누어져 있는 롯데월드라면 갈 만하다는 생각이 들었다. 롯데월드를 생각하니 혜성특급과 배를 타고 모험하는 신밧드의 모험, 놀이공원 중에 제일 무섭다는 바이킹을 타고싶다는 생각이 들었다. 강남구청역에서는 잠실역이 가까웠다. K는 쿠팡에서 티켓을 예매했다. K와 나는 빠른 준비를 하고 작업실을 나섰다. 롯데월드를 생각하니 어린시절 추억이 많은 곳이라 생각만 해도 즐거웠다. 4시쯤 우리는 롯데월드에 도착했다. 이 날은 토요일이었고 할로윈데이를 위한 가을축제기간이었음으로 사람들이 유난히도 많았다. 롯데월드에 들어가기 위해 입구를 살펴보니 많은 사람들이 서서 기다리고 있는 길다란 줄이 펼쳐져 있었다. "왜 이리 사람이 많지? 오늘 토요일이라서 그런가?" 교복을 입은 학생들도 너무나 많았다. 교복을 입은 학생들을보니 옛적 고등학교 때도 생각나고, 학생들은 다 잘생기고 예뻐보였다. 우리는 긴 줄을 기다리며 롯데월드 입구로 들어갔다. 수많은 사람들이 북적북적거렸던 롯데월드 안은 가을 축제 분위기였다. 할로윈 데이를 맞이해 무섭게 생긴 좀비와 해골, 귀신 등으로 꾸며놓은 장식품들이 많았다. 우리는 먼저 할로윈으로 꾸며진 롯데월드 안을 구경하고 실외로 나가기로 했다. 실외로 나가는 에스컬레이터를 타니 신데렐라 공주님이 나올법한 푸른 하늘색의 캐슬이 보였다. "너무 예쁘다!" 캐슬말고도 반짝반짝 거리는 놀이기구들과 놀이기구를 타고 즐기는 사람들의 함성소리가 들려왔다. 실외로 나와 우리는 먼저 혜성특급을 타기로 했다. 혜성특급열차가 있는 곳으로 가보니 엄청나게 긴 줄이었다. "왜 이리 사람이 많지? 혜성특급 인기가 너무나 많나봐!" 제일 먼저 타고싶었던 혜성특급을 위해 우리는 긴 줄에 섰다. 끊임없이 길다란 줄은 우리를 많은 시간 기다리게 했다. 롯데월드 직원 아저씨가 말씀하셨다. "3시간 기다리셔야 합니다." 너무나 충격이었다. 2분 30초의 짜릿함을 맛보기 위해 3시간을 기다려야 한다니.. 하지만 혜성특급을 타기위해 어쩔 수가 없었다. 긴 줄을 기다리느라 너무나 힘들었다. 가만히 이 생각 저 생각을 하는게 아니라, 많은 사람들을 구경하면서 멍을 때리며 긴 줄을 기다려야만 했다. 1시간이 흐르고, 2시간이 흐르고, 3시간이 흘렀다. 이 긴줄을 기다리니 나의 삶과 인생이 떠올랐다. 2분 30초의 혜성특급의 짜릿함을 위해 우리는 긴 줄을 기다려야 했다. 인생도 마찬가지였다. 자신이 꿈꾸는 목표에 다가가기 위해 우리는 긴 시간을 견뎌내야 한다. 꿈을 위해 우리는 느리게 느리게 한걸음 한걸음 걸어나가고 있다. 그 꿈을 위해 걸어나가는 시간이 지겹고, 지루할 수도 있고, 힘들 수도 있겠지만 목표지점에서 그 꿈을 이루게되면 우리는 너무나 즐거울 것이다. 짜릿할 것이다. 재미있을 것이다. 그것은 그 순간 느끼는 행복이다. 그 짜릿한 행복감을 위해 우리는 오늘도 살아가고 있는 것이다. 3시간의 긴줄을 기다리고 드디어 우리 차례가 왔다. 혜성특급열차에 우리가 앉았다. '얼마나 재미있을까?'란 생각과 함께 열차에 앉으니 너무나 기분이 설레였다. 열차가 출발했다. 신비롭게 꾸며진 우주를 보여주며. 열차는 느린 속도로 가다가 빠르게 전진하고, 의자는 덜컹덜컹 뱅글뱅글 돌아가며 우리를 웃음짓게 했다. 그 유쾌한 짜릿함의 즐거움에 나는 K의 손을 꼬옥 잡고 웃으며 큰 소리까지 질러댔다. 이 쾌감. 어찌나 나를 소리지르게 하는지. 어찌나 웃게 하던지. 추억을 회상하며 동심의 세계 생각까지 흐르게 해주는 혜성특급은 너무나 재미있는 놀이기구였다. 3시간의 힘든 기다림 후 느꼈던 이 짜릿한 쾌감. 인생도 마찬가지 일 것이다. 우리는 분명 꿈을 이루기 위해 기나긴 줄에서 기다리고 있는 것이다. 그 기다림이 지루할수도, 심심할수도, 힘들 수도 있다. 하지만 우리는 그 기다림을 이겨내고 견뎌낸다면 꿈을 이룰 수 있을 것이다. 혜성특급을 타기위한 그 기다림. 꿈을 이루기위한 그 기다림이 동일하다는 생각이 들었다. 나는 꿈을 위해, 내 인생의 꽃을 피우기 위해 기나긴 줄에서 기다리고 있다. 나의 목표를 이루는 그 순간의 쾌감을 느끼기 위해 기다리고 있다. 당신도 기다리고 있는가? 모든 꿈에는 기나긴 줄이, 머나먼 줄이 펼쳐져 있다. 꿈을 이루기 위해 기다리며 지치지 말고 느리게 느리게 걸어나가보자. 모든 꿈에는 기다림이 있으니 포기하지 말고 걸어나가보자.

"믿음을 가지고 첫 발을 내딛어라. 계단 전체를 볼 필요는 없다. 그냥 한 발을 내딛어라."@Martin Luther King

7부

비움으로 인생을 그리다.

비움의 독서, 영원한 배움으로

반짝이는 앞으로의 인생을 위한 영감들이 머릿속에 떠오르길 기대하면서 내 마음속의 소리와 질문들을 종이에 적기 시작했다. 그리고는 인생의 안내자로 불릴만한 인물들에게 내가 얻고 싶은 답을 구하고 싶었다. 그들이 '어떻게든 나를 올바른 방향으로 이끌어주진 않을까?' 란 생각이 들어온 것이다. 조용히 책을 읽었다. 나에게 인생의 안내자는 바로 책이었다. 나 자신의 내면의 소리에 귀를 기울이고, 그것이 원하는 대로 행동하고 싶었다. 마음을 느긋하게 갖기 위해 책을 읽는 습관이 생겨버렸다. 힘이 되는 동기부여의 문구를 읽은 후, 여유 있는 집중은 시작되었다. 자신을 찾아가기 위해, 마음에 평안을 얻기 위한 방법은 '독서'를 하는 일이었다. 나의 부족한 부분이나, 앞으로의 인생 방향성을 설정하기 위해 책을 읽으며 공부를 시작했다. 인생을 어떻게 살 것인가에 대한 고민을 풀어가기 위해서였다. 인생 방향성과 목표를 설정한 후 느리더라도 꾸준히 한발 한발 내 걷고 싶다는 생각이 들었다. 책 안에는 알고 싶은 것들이 가득했고, 재미와 내적 충만감을 가져다주었다. 읽어나가는 만큼, 책은 나에게 무엇인가 깨달을 수 있는 배움을 얻어 공감할 수 있는 지식을 늘려주는 동시에, 주변 세상에 대한 이해의 폭을 넓혀주는 삶과 세계를 보는 통찰의 눈을 가질 수 있는 큰 선물을 가져다준다. '독서'를 하고, 타인의 경험을 읽어가며, 간접적인 경험을 하고, 불행하고 우울했던 시기에, 책의 조언으로 많은 삶의 위로를 받았다. 독서는 '행복'을 불러온다. '독서'는 나의 '영혼'을 자유롭게 해준다. 이제는 내가 원하는 인생을 살아가며, 내가 누구인지 확실하게 보여주는 존재감을 조금씩 쌓아가고 싶었다. 비우기 위해서는, 독서를 통해 많은 것을 알고 '나 자신'을 찾아가야 한다. 진정한 자아를 발견하기 위해 미지의 곳을 탐험할 수 있는 곳은 바로 책이란 공간이었다. 책과 독서를 통해 평범했던 나의 모습은 조금씩 달라져 있었다. 독서가 내 인생의 큰 무기가 된 것이다. 그 뒤로 나는 독서의 힘을 믿는다. 꿈을 키우는 도구가 되며 자신감을 채워주는 친구가 되고 지식을 채워주며 외로울때나 힘들때 위로해주는 것이 책, 그리고 독서다. 난 확신할 수 있다. 평범한 나를 특별하게 만들어주는 것이 독서라는 것을. 비우는 삶, 미니멀라이프를 추구하며 살아가기 시작하면서, 나는 아픈 고통의 일들로만 가득 찼던 과거의 삶에서 자신을 돌아보고, 성찰할 수 있는 시간을 즐기고 있다. 누구나 인생을 살아가며, 평생 배워가야 할 것이 천지이지 않는가. 삶에서는 많은 물건보다 더욱 더 중요한 건 '책'이라고 생각한다. 책이 유일한 나의 재산이다. 나는 독서를 좋아하고, 책을 읽으며, 오직 나 '자신'과 '종이'에 글자만 남는 고독 속의 시간을 갖는다. 독서를 통해 '지식'을 쌓고, 조용히 차 한 잔을 마시며, 좋은 글과 마주하며, 나와의 대화를 통해 자신을 알아가는 시간을 가져가고 있다. 그리고는 삶의 일에 대한 새로운 비전을 찾고, 방법을 알아가고, 확신을 만드는 시간을 책을 통해 간접경험을 하고 있다. 책을 통한 간접경험은 정말 많은 도움이 된다. 책을 읽는다는 것은 다른 사람의 삶을 간접적으로 경험하는 것이다. 타인의 성공이나 실패경험을 내 삶에 접속하면 좀 더 신중하게 계획을 세울 수 있다. 나는 학창 시절에도 그렇게 열심히 해본 적 없던 공부를 책을 읽으며 시작했다. 고등학교 때는 공부가 지루하고 재미가 없어, 공부를 안 했던 '바보 머리'였다. 하지만 이젠 내 머릿속에 많은 지식을 넣어, 삶의 돌파구를 찾는 방법을 저장하고픈 욕구가 샘 치운다. 쉽게 삶의 지식을 이해하고, 삶의 방향과 방법을 잡아, 쓸데없는 잡지식들을 비워내는 것 또한, 나에게 의미 있게 다가온다. 나에 대한 공부, 세상에 대한 공부, 배움으로 삶을 살아간다고 생각하니 사는 게 재미있어진다. 배우는 일, 배운 것을 정리하는 일, 자신의 생각을 정리하며 글을 쓰는 일, 나의 삶을 창작으로 기록하고 표현하며 남기는 일은 나에게 재미있는 일로, 쾌락의 영역으로 찾아왔다. 나만의 쾌락의 영역은, 뒤를 돌아봤을 때 후회 없는 행복이며, 나라는 증명이며, 나만의 존재의 의미라는 것을 깨달았다. 우리는 그 어느 때보다 생각하는 힘이 더욱더 필요한 시기를 살아가고 있는 듯하다. 책을 읽고 생각하면 자아성찰이 이루어진다. 내가 누구인지 알아야 꿈도 분명해진다. 멋진 노후의 삶을 여성으로서 맞이하기 위해 배움을 지속하고 단순히 생존이 아닌 배움의 즐거움을 느끼며 나이 들어서도 변화를 즐기고 젊은 세대들과 소통하는데 어려움이 없는 존재로 남고 싶다. 배움을 멀리하는 순간, 성장이 끝난다는 걸 다시 배운다. 단순한 지식을 넘어 세상을 꿰뚫어보는 통찰력과 삶을 이끌어갈 능동적인 태도를 독서를 통해 함께 배워나가보자.

빌 게이츠는 나의 가슴에 와닿는 명언을 남겼다.

"오늘의 나를 있게 한 것은 우리 마을 도서관이었다."
"하버드 졸업장보다 소중한 것은 독서습관이다"
"인간에게는 한계가 있지만, 그 한계를 뛰어넘는 것은 독서이고 탁월한 삶을 꿈꾼다면 독서하라!"

비움의 글쓰기

하루하루 의미있는 오늘에 집중하기로 했다. 진정으로 내가 필요로 하는 일들을 찾아나서기로 했다. 의미있는 삶은 끝나는 날까지 아름답다. 그렇기에 가짜의미가 아닌 진짜 나만의 의미가 중요하다. 내가 즐거운 일, 내가 행복한 일, 가끔 찡그려도 곧 웃음이 피어나는 일과 함께라면 그것이 진짜 의미있는 삶이 되는거다. 부끄럽지만 용기를 내 고백하자면, 난 여유가 없을때 오히려 남을 의식해 지금 충분히 잘 살고 있다고 억지로 보여주려 안감힘을 쓰곤했다. 그렇게 무언가라도 증명해보이지 않으면 더 불안했기에 뜻하지 않은 일을 쳐내가며 억지 여유로 사람들을 속이기도 했다. 이게 맞는 걸까 하면서도 스스로 가두는 일을 반복했다. 허상속에서 살아가는 시간이 길어질수록 가볍게 지을 수 있는 미소조차 나도 모르게 어색해져갔다. 다시 의미있는 방향을 찾고싶었다. 이대로 살다간 나를 위한 삶이 아닌 남에게 보여주는 삶에 급급한 사람이 될 것만 같았다. 주위를 둘러보니 세상엔 많은 재능을 가진 사람들이 있다. 그에 비해 나는 너무 평범하단 생각이 들었다. 나는 엉망인 상태였고 삶은 부서졌다. 그때 아주 작은 틈새로 빛이 들어왔다. 출구없는 우울의 터널을 지나는 동안 얼마나 간절하게 바랐던 빛인지 모른다. 그러니 당연히 놓치고 싶지 않을 수 밖에. 그때마다 마음을 다잡을 수 있었던 건 그래도 나는 글을 쓸 수 있다는 생각이었다. 책과 글은 나를 버티게 만들어주는 유일한 창구였다. 내 재능을 특별하거나 뛰어나다고 여기지는 않는다. 하지만 내가 가진 재능이 소중했고, 남들보다 우월하지 않을지라도 비교할 수 없을 고유의 것이 내게 있다고 믿었다. 어둠 속에서 가녀린 빛을 찾아 복잡한 머릿속을 정리하려면 먼저 내게 주어진 일을 일목요연하게 정리할 필요가 있다고 생각했다. 머릿속에 뒤엉켜 있는 일을 종이에 적기 시작했다. 먼저 할 일 목록을 꼼꼼히 적어 보니 어수선한 마음이 차분하게 가라앉았다. 이렇게 나의 복잡한 생각을 종이에 적어 정리하다 보니 머릿속을 맴돌던 부정적인 감정이 사그라들고 스트레스가 크게 줄어들었다. 머릿속에 무수한 잡념을 가지고 이것저것 걱정하거나 여러 가지 일을 한꺼번에 처리하고자 하면, 무엇 하나 제대로 마무리하지 못하면서 몸과 마음만 바쁘다. 이런 복잡한 생각에 쓸데없이 에너지를 빼앗겨 정작 해야 할 일에 대한 집중력이 떨어지고, 스트레스에 시달리게 된다. 집중력을 높이는 동시에 여유로운 마음을 가지려면 어떠한 잡념도 없이 눈앞의 일에만 집중하는 상태로 만들어야만 했다. 마음을 차분하게 만들기 위해선 머리를 비워내야 한다. 머리를 비우기 위해서 '쓰기'를 통해 마음을 정돈하는 것이 나에겐 좋은 방법이었다. 사람의 감정이란 것은 일어나는 사건에 반응해 분노하기도 하고, 불안과 초조함을 느끼기도 하고, 강한 자책에 빠지기도 한다. 글쓰기를 통해 상황을 정리하고 각각의 문제를 해결하기 위한 바람직한 방향을 잡아놓으면 마음은 혼란하고 복잡한 상태에서 벗어나 안정을 되찾을 수 있다. 우리에게는 다양한 글쓰기 방법이 있다. 일상에 활력을 불어넣고 싶을 때는, 자기가 좋아하는 일의 리스트를 적고, 드림 리스트를 만든다. 그리고 자신이 가진 것을 감사하는 일기를 쓴다. 사람의 감정이란 것은 어떤 감정을 가지느냐에 따라 인생을 크게 좌우하기 때문에, 부정적인 감정에서 빠져나오기 위한 글쓰기는 나에게 많은 도움이 되어주었다. 글쓰기는 새로운 삶의 창조로 나아갈 수 있게 해주는 치료제였기 때문이다. 힘이되고 마음에 새겨지는 문구들은 지독하게 적고 또 적었다. 이러한 문구들을 적어 내려가면서 내 안에는 꿈이 다시 자리잡기 시작했다. 이러한 꿈들을 목록화했고 책상과 벽에 붙였다. 다소 허황된 꿈이라도 상관없었다. 실현 여부를 떠나 꿈을 가진 사람과 가지지 않은 사람의 차이는 이루 말할 수 없다는 것을 알고 있었기 때문이다. 내 머릿속에 맴돌던 것들을 표출하는 도구인 '글쓰기'는 또 다른 마음의 치유방법 그 자체였다. 뭔가 쓰는 행위를 통해 정신과 감각, 내 정체성을 하나하나 알아가게 된다. 자아실현과 자아의 충일감, 나의 상처를 치유하고, 아픔의 고통에서 벗어나기 위해서 어제도 쓰고, 오늘도 쓰고, 내일도 무엇인가를 기록하며, 써나갈 것이다. 기록은 아픔의 해소법이니 말이다. 꿈의 일과표를 적고, 습관 일기, 미래 일기 등을 써본다. 머릿속이 복잡한 생각으로 뒤엉켜있으면 괜히 마음까지 어수선해진다. 그때그때 생각을 정리하는 습관을 들여놔야 마음이 편안해진다. 우리는 또 다른 나를 만나는 매 순간 최대한 많은 흔적을 남기고 그 과정을 기록할 수 있어야 한다. 어떻게 기록을 할 것인지는 개개인이 찾아야 하는 숙제다. 그러나 기록을 남기는 것은 분명히 필요하다. 기록을 해야만 기억이 생긴다. 하나로 정의될 수 없는 나라는 존재를 잃어버리거나 잊어버리지 않기위해 꼭 필요한 과정이다. 내가 고민하고 있는 것을 종이로 작성해 보니 내가 불안해하고 걱정하는 요소가 상당히 많다는 것을 알게 되었다. 일단 그 복잡한 불안에 대한 고민을 글로 작성하고 나니 먼저 마음이 조금 가벼워졌다. 머릿속에 뒤섞여 있는 고민을 종이에 적으면서 객관적으로 바라보니 마음이 홀가분 해진 것이다. 하나하나 차분하게 살펴보니, 나만 가지고 있는 고민이 아닌 듯했다. 내 나이에 똑같은 고민을 하고 있는 사람들이 무척이나 많을 것 같았다. 나는 종이에 남겨진 고민의 해결책을 찾기 위해 책을 읽었으며, 삶에 조언을 주는 유튜브 영상을 보며 다른 사람이 살아가는 삶을 느껴보았다. 나의 문제를 일목요연하게 정리해서 하나씩 차분하게 살펴보며 해결 방안을 탐구했다. <데일 카네기>는 <자기관리론>이란 책에서 고민이나 스트레스에 대처하는 방법에 대해서는 이렇게 말하고 있었다. "과거와 미래를 철문으로 막고, 오늘이라는 테두리 안에서 살아라." 이 문구를 읽으며, 오늘 하루라는 테두리를 만들어 어제의 후회, 불안이란 감정을 비워내기로 했다. 후회와 불안이라는 감정을 정리하기로 한 것이다. 나는 내 자신의 문제점을 글로 남기며 정리해 보았다. 내가 무엇을 실수하고, 어떤 실패를 했는지 글로 적고, 앞으로의 미래에 대한 대책을 세우며 후회와 자책의 감정에서 벗어나기로 했다. 뒤엉켜 있는 머릿속을 정리하고 마음을 정돈하니, 현재에 충실한 삶을 살 수 있게 되더라. 그리고 하루를 여유롭게 보낼 수가 있었다. 내가 계획한 목표를 위해 생산적이고 효율적인 삶을 손에 넣게 되었다. 나는 매일매일 글을 쓰게 되었다. 글쓰기 목적은 글쓰기를 좋아하기도 하지만, 복잡한 머릿속을 정리해서 마음을 안정된 상태로 만들어 놓는 것이었다. 복잡한 마음 상태를 정리하고 나면 하나의 일에 집중하며 몰두할 수 있고, 여유로움을 느끼게 된다. 인간은 감정의 동물이라고 하지 않던가? 불안, 초조, 자책, 분노 등 부정적인 감정이 마음을 장악하고 있으면 자신도 모르는 사이에 나쁜 사람이 되어버릴 수 있다. 부정적인 사고를 지닌 인생을 180도 바꾸기 위해선 나 자신의 감정 상태가 지금 어떠한지를 살피며 자기 마음 관리를 해주어야 한다. 그래서 당신에게 이런 말을 해주고 싶다. 온라인 블로그를 만들어서, 자신의 감정 일기를 기록해 보라고. 마음의 소리를 듣고 감정 일기를 써나가다 보면 자신의 감정 패턴이 보이기 시작한다. 어땠을 때 내가 부정적인 감정으로 보이는지 파악이 되는 것이다. 살다 보면 자기 자신에게 실망하는 일이 반드시 생겨버릴 것이다. 나 같은 경우, 타인이 보는 앞에서 무엇인가를 할 때면, 사람들이 나를 어떻게 평가할지 모르니 신경이 쓰이고 긴장감이 맴돌았다. 이런 부정적인 생각이 들 때마다 부정적인 마음의 소리를 글로 토해낸다. 부정적인 생각을 전부 쏟아내자 긍정의 싹이 자라나기 시작했다. 부정적인 마음의 소리를 쏟아내어버리니 마치 반전이 되듯 긍정적인 생각들이 떠오르기 시작했다. 하루를 되돌아보며 좋았던 일을 떠올리며 감사한 삶을 되돌아본다. 그리고 좋았던 일, 반성할 일, 다음번에는 어떻게 할 것인지 이 세 가지를 중심으로 생각해 보면서 잠에 들곤 한다. 나의 부정적인 마음의 감정 상태를 생각해 보니 무척이나 많았다. 분노, 분함, 절망, 자책감, 불안, 무력감, 갑갑함, 좌절감, 자신감 상실, 질투, 열등감, 증오, 꺼림직함, 초조함, 후회, 창피함, 실망, 억울함 등등.. 내 글에는 나의 영혼이 담겨 있었다. 매일 즐겁고 설레는 일이 있어야 마음이 윤택해지고 여유롭게 생활할 수 있다. 동화 작가 '모리스 마테를링크'는 이렇게 말했다. "세상에는 사람들이 생각하는 것보다 훨씬 많은 행복이 존재하지만, 대부분 그것이 뭔지 발견하지 못한다" 이 문구를 읽으며, 한 번뿐인 삶에서 많은 행복과 즐거움을 느끼며 일생을 마치고 싶다는 생각이 들었다. 희망과 꿈, 성취감, 호기심, 두근거림 등 다채로운 감정을 원동력으로 살아가는 삶은 단연코 풍요스럽다. 매일이 똑같은 지루한 일상에서 신선한 자극을 받기 위해, 나만의 세계를 넓혀가기 위해 새로운 책들을 읽으며, 다른 사람의 경험 스토리를 느껴본다. 행복해지기 위해 감사 일기를 써보자. 감사 일기는 행복 체질로 바뀌게 해준다. 나에게 주어진 삶의 모습을 감사의 눈으로 바라보며, 글을 쓰니, 긍정적인 생각을 가지게 되고, 삶의 만족감까지 높아진다. 사소한 일까지 진심으로 감사하는 마음을 가지면 삶이 윤택해진다. 당신 또한 매일 감사일기를 쓴다면 어떤 효과가 있을지 직접 느껴보길 바란다. 평범한 일상이지만 내가 좋아하는 커피와 책이 있는 곳에서 글을쓰는 이런 작은 일상이 나에겐 너무나도 소중한 행복이었다. 이젠 내게 글쓰기 없는 인생은 상상하지 못한다. 글쓰기가 내 인생을 바꿔줄 것만 같았다. 계속되는 행복한 인생을 위해 나는 내가 원하는 인생을 생각하고 계획하며 글로 쓰며 마음을 정돈해 본다.

인생의 꽃을 피우다.

오늘 난 이런 생각이 들었다. 내 삶의 목표는 정말 내가 원하는 것일까? 나에게 소중한 순간들은 무엇일까? 어떻게 하면 유혹과 소음들에 신경을 끄고 가장 열망하는 인생의 모험에 집중할 수 있을까? 나는 37살이 되었는데, 아픈 몸에서 벗어나 이제는 어떻게 인생을 살아가야 하는 걸까? 요즘은 쓸데없이 바쁜 사람들이 너무나 많은 듯하다. 나는 그렇게 유명한 사람이 되고 싶다는 생각은 별로 없다. 늘 많은 사람들의 시선을 한 몸에 받는 사람이 아니라, 항상 건강하고, 좋은 친구들을 사귀며, 하는 일에 만족을 느낄 때 행복이 찾아올 것이라 믿는다. 일 자체에서 즐거움과 배움을 얻는 것이 나에겐 가장 매력적인 보상인 듯

하다. 배우 '조셉고든레빗'이 말한다. "명성을 얻고 싶어 하는 건 나쁜 일이 아니다. 다만 명성을 추구하면 행복으로 이어지지 않는 길로 향하게 될지도 모른다는 사실에 유념해야 한다. 내가 만나본 유명 스타들 중 행복을 찾은 사람들과 이야기를 나눠보면, 결코 자신이 스타이기 때문에 행복해진 게 아님을 알 수 있다. 다른 사람들과 똑같은 이유 때문에 행복하다. 늘 많은 사람들의 시선을 한 몸에 받고 있어서가 아니다. 항상 건강하고, 주변에 좋은 친구들이 있고, 또 자기가 하는 일이 만족스럽기 때문에 행복하다. 어느 분야에서 일하든 간에, 당신이 성공했다고 평가받게 될 때는 그에 따른 매력적인 보상이 존재할 것이다. 하지만 내 경험에 비춰 진심을 다해 말하자면, 일 자체에서 즐거움을 얻는 것이 가장 매력적인 보상이다."<지금 하지 않으면 언제 하겠는가><팀 페리스>에서는 이런 문구를 읽었다. "인생의 25퍼센트는 자신을 찾아내는 데 써라. 남은 75퍼센트는 자신을 만들어가는 데 집중하라." "나를 찾아내지 못하면, 나를 만드는 일을 하지 않으면, 나는 나도 모르는 사이에 사라진다." 타인이 나를 볼 때 내가 아무리 이상해 보여도, 괴상해 보인다 생각해도, 나로선 나 자신을 받아들일 수밖에 없었다. 나는 타인의 시선을 무시한

채 느긋하게 마음을 먹었다. "나는 나만 알고 있어. 내 인생도 나만이 알고 있어!" 이제는 눈치 보지 않고, 정말 원하는 것을 찾아 나가기로 했다. 내가 정말 좋아하고, 나다움을 표현할 수 있는 모습으로 살아가기로 했다. 진짜 나다운 것. 내가 좋아하는 것을 찾아 계속 나에게 질문하고, 나를 돌아보고, 나 자신을 관찰하고, 마음속에 울리는 작은 외침에 귀기울였다. '이건 나다운 게 아니야.' 내가 아닌 나의 모습으로 가면을 쓰고 만난 사람들은 나의 매력을 느낄 수 있을까. 내가 나다울 때 만난 사람들이 나의 매력을 발견하고 나에게 호감을 표현해 주지 않을까. 내가 나다울 때 비로소 사람들에게 더 좋은 사람이 될 수 있지 않을까. 우리는 나 자신에게서 묻어 나오는 색과 향, 결을 온전히 충분히 인지해야만 할 것 같다. 자신의 개성을 인지하고 그것을 당당히 드러내는 사람에게 '매력적인 사람이다.'라는 호감의 마음을 느껴본 적이 있지 않은가? 바로 그것이다. 사실 예전에는 부모님이나 선생님이 삶의 가치와 지향점을 제시해 주었고, 위인전을 읽으며 삶의 롤 모델을 설정하기도 했다. 하지만 가정과 사회가 개인에 대해 영향을 미칠 수 있는 결속력이 현저하게 감소하면서 위인전에 나오듯 사회적으로 널리 인정받는 훌륭한 사람이 될 필요는 없으며, 그냥 나다운 삶을 살면 된다는 신조가 강해졌다. 개인의 선택이 중시되고 가치가 다원화된 것은 바람직한 현상이겠지만 이제 나답다는 것은 무엇인가를 시작으로 무엇을 잘하는가, 무엇을 좋아하는가, 무엇이 되고 싶은가에 대한 대답을 구하는 것은 오롯이 개인의 몫이 됐다. 사람들이 하는 고민은 대부분 다른 사람의 시선과 기대에 부응하려 애쓰다가 생기는 것이다. 또 남이 만들어놓은 기준에 자신을 억지로 끼워 맞추려다 생기기도 한다. 그렇게 굳이 무리하지 않아도 될 일을 세상의 이목에 얽매어 나 자신을 힘들게 몰아세우는 것이다. 이런식으로 노력하는 것은 진정한 노력도 아니고, 내 인생을 사는게 아니라 다른 사람의 인생을 대신 사는 것과 다를 게 없다. 이렇게 억지로 노력을 하면서 살게되면 당연히 삶이 힘들어질 수밖에 없다. 남이 어떻게 생각하든 그것이 뭐 그리 중요한가. 내가 괜찮으면 되는거고 좋으면 그만이다. 세상의 기준이라는 것이 절대 불변도 아니고, 반드시 옳다는 법도 없다. 그러니 내가 거기에 조금 못 미친다고 주눅이 들거나 자책할 필요가 없다. 내가 할 수 있는 만큼 최선을 다하고 그에 따른 결과를 받아들이면 그만이다. 사는게 힘든것은 결국 세상의 시선을 너무 의식한 탓이고 내려놓지 못한

데서 비롯되는 것이다. 물론 세상의 시선을 의식하지 않고 내가 중심이 되는 삶을 살기란 쉽지 않다. 나도 예전에는 세상의 시선과 기준에 참 많이 얽매어 살아왔다. 사람은 누구나 실수하고 실패한다. 그런데 길을 걷다 넘어졌을 때 그 자리에 주저앉아 힘들다고 울어대면 그게 불행이 되는 것이고, 아무일 없었던것처럼 그냥 툭툭 털고 일어나 다시 가던길을 가면 그 일은 불행이 되지 못한다. 삶의 중심은 '상황'이 아니라 '자기자신'이 되어야 한다. 내 자신이 소중하고 내 삶이 중요한 사람은 그 자리에 주저 앉아 울고만 있지 않는다. 넘어져서 조금은 아프고 창피할지 모르지만, 그보다 중요한 것은 내가 가고자 했던 길이기 때문이다. 이렇게 삶의 중심에 나를 두게되면 많은 일들이 심플해진다. 일에 대해서도, 관계에 대해서도, 사랑에 대해서도 복잡하게 고민할 일이 참 많이 줄어든다. 나는 5년동안의 시끄러운 고통을 겪은 후 내 인생은 달라졌다.

1) 삶의 목표가 생겼다.

2) 긍정적인 사람이 되었다.

3) 감사와 사랑이 넘치는 사람이 되었다.

스스로를 이해하는 범위가 넓어지면서 내가 진짜 원하는 것. 바라는것. 하고싶은 것들이 자연스럽게 떠올랐다. 이제야 '나를 알아가고 있구나' 하는 마음이 들었다. 이제 내가 정말 나답고, 잘할 수 있고, 재밌고, 좋아하는 것을 하면서 다른 사람에게 도움이 되면서 살아가고싶다. 당신은 이상적인 삶을 추구할 것인가? 자기 형편에 맞게 살 것인가? 어느 쪽이 행복할지는 개인의 가치관에 따라 다르겠지만, 나는 이제 형편에 맞게 사는 소박한 생활의 삶을 선택했다. 나의 작고 달콤한 일상을 진심으로 즐기는 삶을. 인생은 생활로 이루어져있다. 즐겁게 생활하면 인생은 자연히 즐거워진다. 모든 사람에게는 씨앗이 깃들어 있다. 온전히 자신을 위해 시간을 투자하고 마음을 집중하여 자기만의 꽃을 활짝 피워보자.

진정한 자아

인간은 깨어있는 시간의 90퍼센트 이상을 자신에 대해 생각하며 보낸다고 심리학자들은 말한다. 그런데도 자기 자신에 대해 잘 모르고 있는 사람들이 있다. 나의 과거시절처럼 말이다. 생각해보면 나에겐 자신에 대한 이해란 어려운 일이었다. 하지만 이제야 깨달은 점이 하나있다. 우리의 자아는 그 자리에 머문 채 남이 해석해주기를 기다린다고 이해되는 것이 아니란 것을. 스스로를 여러 상황에 놓아보고 그에 반응하는 자신을 관찰할때에만 진정한 이해가 뒤따르게 된다는 것을 알았다. 나 자신을 잘 알고 잘 이해하게 되면 나의 취향과 가치관을 또렷이 알고 있기 때문에 그에 맞게 일관된 선택을 하게된다. 타인의 목소리에 정해져있는 가짜 자아는 너무나 연약하게 느껴진다. 우리는 어떤 경우든 간에 '진짜 나 자신'의 삶을 살아갈 줄 알아야 한다는 생각이 들어온다. 우리주변에는 인생을 멋지게 편집하는 재능 덕에 실력이상으로 인정받는 사람들도 있으며, 그것도 실력의 일부로 인정받는다. 멋진 모습으로 편집된 사람들을 벤치마킹한다면 보이는 것보다 보이지 않는 진짜 나를 알고 그 자아의 모습으로 나 자신을 꾸며, 전력질주하는 일에 주목할 수 있을거라 믿어본다. 나는 이제 진짜 나로서 사는 삶에 집중해보련다. 화려한 가짜 자아가 아니라 오로지 진짜 자아만이 자존감을 가질 수 있기 때문이다. 우리는 우리 '자신'을 잘 알아야 한다. 적어도 자기 삶을 살아나가는데에는 꼭 필요하고, '자신' 그보다 더 중요한 것은 없으니 말이다. 나만이 아닌, 멋진 친구들을 만나고, 과거의 나를 만나고, 정리하는 시간, 미래의 나를 만들어가는 시간. 나만의 북극성을 찾는 시간이 필요하다. 한번 뿐인 인생을 행복하게 살고싶다면, 첫번째로는 자신만의 대한 '정체성'을 찾아가보자. 자신만의 강점을 일단 명확하게 찾는 것이 중요하다. 정말 나라는 이름으로 사는 삶을 선택하여, 특별한 경험을 하며 살아가는 것이 '행복'이라고 생각한다. 나는 내가 사랑하는 사람들과 재밌고 특별한 경험을 쌓으며 웃음지을 수 있는 단 한번뿐인 삶을 살아가고 싶다. 홍부자의 삶을 말이다. 우리는 각자 다른 색깔을 가지고 있지만 각자의 존재의 가치를 확인하고 노력하는 과정의 삶을 살아가야 한다. 나는 나다움을 잃어버린 사람들에게 미니멀라이프로 비우고 비우며, '나다움'을 만들어가며 살아가라고 말해주고 싶다. 과거의 나를, 현재의 나를 정리하고, 미래의 나를 그려보는 정리 타임을 가져보는 것은 어떨까.

내 삶의 색을 찾아

세상엔 정말 다양한 사람들이 자신만의 재능을 가지고 각자 다른 일을 하며 살아간다. 물론 기본적으로 돈을 버는 것도 중요하지만, 그보단 '나를 가장 잘 드러낼 수 있는 일'로 자신의 삶을 채워가는 게 더 중요한 것이 아닐까? 나는 내가 가진 색을 찬찬히 풀어보려 했다. 한 때, 나만의 존재가 설자리를 잃어버린 느낌이 들었던 적이 있다. 초대받지 않은 인생무도회에 들어선 느낌이랄까. SNS에 지인들의 삶을 염탐하며 "못 본지 오래 됐는데, 잘 살고 있구나" 부러움을 느낄 때가 많았다. 그 부러움을 느끼며 "나는 왜 이리 초라해 보일까?"라는 시큰둥한 자괴감에 눌러앉으며, 멍한 눈초리로 한 숨을 푹푹 쉬어댄다. "나는 열심히 산 거 같은데, 왜 이자리일까? 나 만큼은 잘 될 줄 알았는데.. " "왜 내가 얻고싶은 건 얻지 못했을까?"타인들에게 잘보이고 싶은 마음에 나를 숨겨 은둔생활을 하며, 굉장한 집중력을 발휘하며 살아왔던 기억이 문득 들어온다. "난 잘할 수 있을꺼야."라는 나의 다짐이 불연코 실패와 절망으로 삶을 차고 들어왔다. 내가 어렸을 적 상상했던 내 인생의 환상은 무심코 사라졌다. 세상은 생각과는 다르게 불투명하고 어두웠다. 이 어두운 세상 속에서 내가 할 수 있는 유일한 것은 다시 나의 인생을 소망하는 일이었다. 그 불완전하고 불균형한 상태에서 미니멀리즘을 적용해 내 마음을 깨끗이 비워버렸다. 감사의 서랍을 조용히 열어서, 그 속에 한 가득 들어있는 마음들을 꺼내어보니, 그 동안 상처라고 생각했던 무수한 것들이 조금씩 무뎌져갔다. 내 삶은 감사한것들로 넘쳐 흐르고 있음이 틀림없었다. 내가 가지고 있는 풍요로움을 뒷전에 두고, 나와는 다름에 있어 느껴졌던 부러움과 질투. 타인의 개성을 받아들이지 못했던 것이었다. 목표에 눈이 멀어 정작 가장 중요한 것들을 저버리며 비탄에 빠져있는 한심한 나를 바라보며 반성했고 비움을 통해 내가 누릴 수 있는 일상의 행복을 조금이라도 더 음미할 수 있었다. 앞으로는 모든 것에 호기심을 가지고 새로운 눈으로 바라보았던 어린시절 처럼, 평생을 순수한 어린이 같은 동심을 가지고 살아가고 싶다.

타인의 시선에서 벗어나기.

실수해도 괜찮다. 넘어져도 괜찮다. 넘어지면 잠시 쉬었다가 툴툴 털고 일어나면 된다. 타인의 시선, 타인의 평가에 나를 내맡기지 말고 내 마음부터 따뜻하게 달래주고 품어주며 앞으로 나아가고 싶게 하는 에너지를 만들어내야 한다. 힘에 겨워 넘어지면 넘어진 채로 잠시 쉬어가고, 주변의 아름다운 일상의 풍경들을 경험하며 내 안의 소리에 귀를 기울여보자.

"남이 보는 게 뭐가 중요해?"
"왜 내가 남을 의식해야 하는데?"
"왜 내가 남하고 똑같이 살아야 하는데?"

"남이 내 인생을 살아줘?"
"내가 아플 때 남이 같이 아파해줘?"
"그 대단한 남이 나에게 뭘 해줬는데?“

남들 때문에 내가 삐룩삐룩 골치가 아팠었던 기억이 난다. 남들의 시선만을 생각하며 어린 시절을 보냈던 기억이 흐른다. 이제는 타인의 시선을 끊임없이 의식하며 아무 말 못 하는 오뚝이처럼 알맹이 없는 삶을 살아가고 싶지 않다. 남의 시선을 차단해버린 채 내가 보더라도 내가 만족하는 삶을 사는 것이 더욱 더 낫지 않을까? 누구나 타인의 인정을 원할 것이다. 유독 타인에게 신경을 쓰는 사람의 경우, 모든 행동이 타인의 인정을 받기 위한 목표로 세워지기도 한다. 나 역시 타인의 시선에 신경을 많이 썼던 사람이었다. 남의 시선을 안 볼 것이라고 다짐하고, 내가 좋아하는 일을 하다가도 다른 사람들이 딱히 인정을 해주지 않는 생각을 하면 힘이 싸악 풀려 공허해지기도 했다. 생각해 본다. 이런 질문이 머릿속에 맴돌았다. "나만 좋으면 될 일인데 왜 자꾸 남의 시선과 인정을 바랄까?" 남의 시선을 생각함으로써 더 멋진 내가 되고 싶은 욕망이 있었던 것이 아니었을까? 하지만 남의 시선을 신경 쓰고 비교하는 순간, 시샘과 부러움과 질투심이 생겨 마음은 불타오르는 지옥이 되고 불행의 암흑의 길이 펼쳐진다. 세상 모든 인간에게는 유일한 고유함의 개성이 물들어 있다. 각자의 개성을 인정해 줄 때 존재감이 형성된다. 내가 존중받으며 성장할 때 타인도 나를 존중하는 법이다. 매일 듣고 싶고 매일 이야기하고 싶은 말이 있다. "너는 세상에서 가장 중요한 존재야." "무슨 일을 하세요?" "대학은 어느 학교 나오셨어요?" 이렇게 나에게 물어오는 질문들이 지긋지긋하게 느껴졌다. 내가 무슨 일을 하든, 어느 대학교를 나왔든, 어디 지역 출신이든, 어떤 업적을 이루었던, 그것이 그렇게 중요한 일일까? 우리는 겉으로 보이는 모습의 곁가지들에 매달려 사람들이 분류별로 평가하는 듯 싶다. 이러한 평가로 인한 권력, 과시적 이데올로기는 또 다른 과시를 낳고, 만들어진 과시는 우리를 질투하게 만들고 우울하게 만들기도 한다. 보다 많은 행복을 손에 넣고 싶다면 당신은 자신에게 정직해져야 한다. 자신의 인생을 결정할 때 세간이나 타인의 눈을 신경 쓰게 되면 판단력이 둔감해진다. 그 상태로 앞으로 나아가려고 하면 진짜 행복을 눈 앞에서 놓쳐버린다. 그렇게 될 바에는 일단 불필요한 잡념을 버리고 정면에서 마주 해 보아야 한다. 그러면 자신이 나아가야 할 진짜 길이 눈에 보이게 될 것이다. 당신에게 상당히 신뢰하는 사람이 있다면 그 사람에게 상담해 보는 것도 하나의 방법이다. 하지만 그것은 단순한 조언으로 머릿 속 한 켠에 두는 정도가 좋다. 어쨌든 최종적인 결단은 당신 자신이 내리지 않는 한 그 후에 후회하게 될 테니 말이다. 어떤 길을 선택하든지 당신이 믿고 나아가려고 결정한 길 끝에는 빛나는 행복으로 가득 찬 날들이 기다리고 있을 것이다. 지금의 나. 누가 뭐라 하든 예전처럼 눈치 보지 않고 내가 원하는 대로 할 수 있다. 나 자신의 자아를 찾아가는 여행을 시작한 셈이다. 나를 잘 모르는 사람들은 철없다고 생각할지 모르겠지만 나는 신경 쓰지 않는다. 하고 싶은 대로 사는 것이 아무렇게나 사는 것은 아니니 어느 선의 정도는 지키겠다고 다짐했다. 다른 사람의 시선은 중요하지 않다는 생각이 많은 자유를 가져다 준다. 미래에는 한 뼘 더 성장한 쥬쥬선샤인이 되고싶다.

마지막 죽음앞에서

죽음앞에서는 모두가 한없이 연약한 인간일뿐이구나. 결국, 우주속을 떠돌다 사라지는 한낱 먼지에 불과하구나. 언제 어떻게 될지 모르는 우리 인생. 그 삶속에서 조금이라도 자유를 찾고싶었다. 혹여나 일어날 갑작스러운 죽음앞에 나름 떳떳하게 즐겁게 잘 살았노라 말하고 싶었다. "물론 누구나 죽을 수도 있어. 하지만 적어도 나는 아니지 아닐까?"이런 생각을 하던 사람이 나였다. 하지만 나는 5년 전 교통사고로 인해 '생과 사'의 갈림길에서 죽을 고비를 넘겼다. 그 경험으로 인해 깨우친 '인생을 후회하지 않기위한 다섯가지 방법'이 있다.

1) 사람은 언제 죽게 될지 모른다는 사실을 기억해보자.
2) 그게 무엇이든 우리 모두에게 반드시 살아가야 할 이유가 있다.
3) 진정한 나. 그리고 바람직한 나의 모습에 대해 지속적으로 고민해보자.
4) 일생을 통해 '자신이 할 일'을 찾고 또 찾아보자.
5) 자신의 '마음이 하는 소리'를 들었다면 주저하지 말고 행동으로 옮겨보자.

당신에게 어느날 이런 메시지가 도착했다. "정말 안타깝지만 오늘이 당신의 마지막 날입니다. 마지막 하루를 후회없이 보내시길 바랍니다" 이 메시지를 듣는다면 어떤 생각이 들어올까? 만일 자신의 죽음을 '죽기 100일 전'에 알았다면, 혹은 죽기 '10년'전에 알았다면 아마도 그날부터 죽는 날까지 100일 전, 10년은 정말로 하고 싶었던 일에만 몰두할 것이다. 정리해보면, 결국 자신이 죽는 날을 미리 안다면 진짜 하고 싶은 일을 찾아 몰두하겠지만, 언제 죽을지 모르는 동안에는 하고 싶은 일에 매달리지 않는다는 것이다. 사람들 대부분은 자신이 죽을 날을 아주 먼 미래의 일로 여겨 '정말 원하는 일'이나 지금 해두면 좋을 일'에 관해서 진지하게 고민하지 않는 듯 하다. 결국 인간은 절박한 상황이 닥치기 전에는 죽음에 대해 구체적으로 생각하기가 곤란하다는 뜻이다. 안타깝게도 인간은 원래 '마지막 하루'까지 남은 기간이 길면 길수록 절실함을 느끼지 못하는 어리석은 존재다. 시간이 많을수록 원하는 일에 쓰는 시간도 많아져야 하는데 실제로는 그 반대인 셈이다. 시간이 지나 나이가 들어오면 이런 후회감이 찾아올 것이다. "한 살이라도 젊었을 때 그 일을 할걸", "내가 좋아하는 일을 했더라면 이렇게 후회하지 않을 텐데", "사랑하는 사람과 더 많은 시간을 함께 보내길 그랬어", 등등의 후회 말이다. 그렇다면 사람은 어떻게 해야, 죽음이 언제라도 닥칠 수 있다는 사실을 실감하게 될까? 다른 사람의 죽음을 곁에서 지켜보거나, 혹은 그러한 체험을 다른 사람을 통해 듣는 간접적인 체험 밖에는 없다. 만약 내일 아침, 죽음을 맞이하게 될 거라면 당신은 어떻게 하겠는가? 당신이 갑자기 죽음을 맞이했을 때 후회하지 않길 바란다. 당신이 지금 몇 살이든 당신에게 남아있는 한정시간 속에서 무슨 일이있어도 꼭 하고 싶은 일을 찾아 도전해보았으면 좋겠다. 정말이지 그렇게 되기를 간절히 바래본다. 나는 교통사고를 겪은 이후 살아가는 동안 내가 꼭 해야 할 일에 대해 생각해보는 비움의 시간을 가져보기로 했다. " 살아가면서 내가 해야 할 일은 대체 무엇일까?" 이 시간을 계기로 훗날 내가 해야 할 일을 깨닫게 되었다. 어떻게 하면 '하고싶은 일'이나 '해야 할 일'을 찾을 수 있을지 지금부터 생각해 보기로 하자. 마지막 날을 행복하다고 말할 수 있는 사람의 조건은 무엇일까?

1) 원하는 일을 찾아 행동으로 옮긴 사람
2) 인생의 미션, 즉 자신의 역할을 인식하고 많은 사람에게 도움이 되고자 한 사람
3) 사랑하는 사람들과의 시간과 관계를 소중히 여긴 사람

이다. 이 세가지 조건을 마음 속에 담아둔 채, 어떻게 해야 원하는 일을 찾을 수 있는지 구체적인 해법을 찾아 떠나가 볼까. 오늘 무엇을 위해서 일하러 가는지 생각해보는 일은 '과연 내 인생은 이대로 좋은가?'라고 스스로 묻는 작업과 같다. 이런 질문을 자신에게 던질 수 있어야만 비로소 자신이 하고 싶은 일에 대한 고민을 제대로 시작했다고 볼 수 있다. 당신이 살아가면서 당신의 환경에 신물이 날 때에는 무엇이 싫고, 무엇이 문제인지를 되

짚어보고 진지하게 당신의 '마음의 휴식처'를 찾아보는 것이 좋다. 마음 편하고 깊은 생각을 할 수 있는 나만의 장소 말이다. 마음의 휴식처는 자신이 정말 무엇을 하고싶은지, 그리고 무엇을 좋아하는지를 마음으로 확인하는 자리이므로 혼자있을 수 있는 장소나 안정감을 느끼는 환경을 찾아 진지하게 자신을 성찰할 수 있다면 그곳이 어디든 충분히 가능하다. 마지막 순간의 아쉬움과 후회들을 진정으로 알아줄 사람은 오직 나밖에 없을 것이다. 살아있는 동안 최소한의 후회만을 남기며 살자. 내 삶을 가장 귀하게 여겨보자. 만약에 다시 제자리로 돌아올지라도 '해봤다'라는 그 경험만으로 우리의 삶은 찬란히 빛이 날 테니까.

내 안의 목소리

환청이 들리고 이상한 행동을 하니, 다른사람과 나 자신에게 피해가 갈까봐 당연한 두려움이 쌓였다. 내 마음대로 되지않는 어쩔 수 없는 상황을 만났고 무언가 예상할 수 없는 상황에 여러번 당황한 경험이 많았다. 나는 5년 동안의 시끄러움의 고통으로 친한 친구들을 보지 못했다. 조금씩 상태가 나아지기 시작하자, 보고싶은 친구들을 만나고 싶었다. 그래서 어느날 오후, 오랫만에 어렸을 적 친하게 지내면서 놀았던 오빠를 만난 적이 있다. 그 오빠는 기타를 잘 치는 기타리스트이자 자신의 곡을 작곡하고 노래도 부르고 음반까지내는 멋진 뮤지션이었다. 그 동안 시끄러운 고통으로 아팠던 과거의 이야기를 털어놓자, 오빠는 남들의 인생과 내 인생을 비교해가며, 내 마음의 뼛속까지 관통하는 톡톡쏘는 말을 골라 해댔다. "내가 너를 15년 동안 지켜봤자나. 너는 이룬게 없잖아. 너무 안타깝다" 타인이 볼 때 나는 이룬게 없는 안타깝고 초라한 여자였나보다. 나의 인생스토리를 어떻게 안다고 나의 삶을 평가하며 그런 소리를 해대는지. 내가 나를 제일 잘 알고 있는데 말이다. 오빠의 말을 들었을 때 내 심장이 쪼개지는 것 같았다. 내 마음속 깊은 곳에 스크래치를 남겨놓은채 상처를 내어버렸다. 내 인생을 비하하는 것 같았다. 너무 마음이 아팠다. 그 순간, 내 안에 자존감의 탑을 허무는 무거운 돌이 내려왔다. 그 돌은 나를 향한 자신감과 동기부여를 부숴버릴 듯한 강한 충격을 안겨주었다. 나는 그 매서운 소리를 듣고, 집에와서 한달 간의 상처입은 가슴으로 나에 대해 다시 생각하게 되었다. 그러나, 그 충격적인 순간이 도래한 뒤, 나는 스스로에게 다시 질문을 던졌다. 그것이 내가 무엇을 원하고, 어떤 삶을 살고 싶은지를 생각해보는 계기가 되었다. 내가 15년 동안 이룬 것은 무엇일까? 나는 무엇을 중요하게 생각하며 살고 있는 걸까? 사회적 기준과 다른 사람의 평가로 어떻게 내 삶을 규정해야 하는 걸까? 나는 그래도 내가 하고 싶은 일을 하며 살아왔는데, 왜 남의 시선에 의해 자신에 대한 확신을 잃어가고 있었을까? 그 순간부터 나는 내 안의 목소리를 다시 듣기 시작했다. 내 안의 목표와 가치관을 존중하며, 내가 하고자 하는 일을 추구하기로 결심했다. "사회적으로 성공한 것처럼 보이는 길이라고 해서 나의 정체성을 포기해선 안 된다."고 생각했다. 그러나, 이것은 어려운 결정이었다. 내가 원하는 길은 불안정하고 불확실하다. 그러나 결국, 내가 가는 길로 한 걸음 한 걸음 나아가야 한다는 결심을 굳게 머금었다. 나는 내 인생을 내가 원하는 대로 살기로 했다. 내가 이룬 것이 무엇인지는 나만이 가장 잘 알고 있고, 그것이 나의 가치와 자부심을 형성할 것이다. 비록 자신의 길을 택하면서 어려움과 불안함이 함께 따라왔지만 그것이 바로 나의 삶을 살아가는 방법이었다. 어떤 사회적 기준에 맞추려고 노력하는 것이 아니라, 내 자아를 인정하고 내가 원하는 삶을 향해 나아가는 것이었다. 15년 동안 아무것도 이룬 게 없다는 말에 상처를 입은 후, 나는 그 상처를 힘으로 삼아 새로운 시작을 했다. 나는 나 자신을 믿고, 나의 인생을 나만의 방식으로 살아가기로 했다. 그 순간부터, 내 삶은 나만의 의미와 가치를 찾아가는 여정으로 시작되었고, 나는 스스로를 존중하며 더 나은 인생을 만들어가는데 힘을 쏟게 되었다. 우리는 모두 과거의 자신과 어울렸던 사람들과의 연결을 가지고 있다. 이들은 우리의 과거를 알고, 우리가 어떤 실수나 부족함을 가지고 있었는지 알고 있을지도 모른다. 삶의 과정에서 사람들은 실수덩어리이자 모순덩어리다. 한순간의 감정을 조절하지 못해 실수하기도 한다. 그들은 젊은시절의 미성숙한 나를 바라만 보나보다. 나는 이제 새로운 나의 영역을 만들어 가고 싶다. 그러기 위해 끊고싶은 과거의 관계인연을 다 끊어버리기로 했다. 나의 과거는 상처투성이다. 새롭게 나아가기 위해선 이 사람들과 연을 끊고 새롭게 출발해야겠다는 생각이 들었다. 조직의 시대에 연을 맺은 사람들.. 이제 나에게 도움이 되지 않는다. 이 사람들에겐 내가 새롭게 변화하고 싶은 나를 머뭇거리게 하고 방해만 할 뿐이다. 나는 다르게 살기위해 이들을 머리와 마음 속에서 없애기로 했다. 그래야 내가 과감하게 변화할 수 있을 것 같았다. 과거의 인연을 끊는 것은 새로운 시작을 의미한다. 이것은 내가 변화하고 자기 계발을 위해 내린 결정이다. 과거의 관계와 연결을 끊는 것은 새로운 도전을 받아들이고 새로운 영역을 개척하기 위한 대담한 선택이었다. 이제 예전과는 다른 방식으로 나의 존재를 만들어야 했다. 모든게 불안정

했던 20대를 지나 30대에 접어들어서야 내 삶의 기준은 바깥이 아니라 내 안에서 만들어가는 것임을 깨닫게 되었다. 더는 세상이 정해놓은 기준에 나를 맞추려 애쓰지 않고, 나만의 기준을 하나씩 세우며 살아가게되니 나 자신의 마음과 생활이 단단해져 갔다. 주변의 시선, 타인의 기대에 부응하기 위해 움직였을때보다 '내가 이 일을 하고싶은가? 하고싶지 않은가?' 스스로 질문하며 답을 찾아갈 때 한 걸음 더 성장했음을 느꼈다. 어제의 나보다 오늘의 내가 성장했을 때 더 행복하고 만족스럽게 삶을 살아가게 되는 것만 같다.

이상적인 삶

어린 시절, 나는 이상적인 삶을 꿈꾸며, 화려한 상상을 펼쳤다. 돈을 많이 벌고, 멋진 집에서 편안하게 살고, 모든 것을 소유하고 싶었다. 연예인, 재벌가, 영화와 드라마 속의 세상에서 자신을 발견하고 싶었다. 그런 이상적인 삶은 나에게 궁극적인 행복과 만족을 약속하는 것 같았다. 그러나 시간이 지나고 성숙함이 찾아왔을 때, 내 생각과 가치관이 변화하기 시작했다. 이상적인 삶이란 무엇인지 다시 생각하게 되었고, 현실과의 괴리에 미안함을 느끼기도 했다. 그 이상적인 삶은 우리에게 과도한 압박과 불안을 안겨주며, 나를 초라한 존재로 만들었던 것 같았다. 그런데, 어느 순간 미니멀리즘의 철학을 만나고 나서, 내 생각은 크게 변했다. 미니멀리즘은 "적게 가지고 더 많은 삶"을 추구하는 철학으로, 물질적인 소유보다는 내적인 만족과 간소함을 중요시한다. 이것은 어렸을 때의 이상적인 삶과는 정반대의 가치관처럼 느껴질 수 있지만, 실제로는 많은 사람들에게 큰 영감을 주고 있다. 미니멀리즘은 나에게 새로운 관점을 제공했다. 이것은 물질적인 풍족함이나 화려한 생활이 진정한 행복과 만족을 주지 않을 수 있다는 것을 깨닫게 했다. 더 적은 것으로 더 큰 만족을 찾으려고 노력하고, 분에 맞는 삶을 추구하면서 내 안의 진정한 가치를 발견하게 되었다. 미니멀리스트로서 나는 물질적인 소유보다는 경험과 관계에 더 가치를 두고 있다. 더 적은 물건을 소유하면서 더 많은 자유를 얻을 수 있다. 간소한 삶을 살면서, 내가 원하는 것들을 좀 더 명확하게 알게 되었고, 그것들을 향한 열정을 더욱 강하게 느낄 수 있게 되었다. 미니멀리즘은 내게 내적인 안정과 평온을 가져다 주었다. 내가 형편에 맞는 삶을 산다면, 초라한 존재가 아니라, 나 자신을 더 자유롭게 표현하는 삶을 사는 것이 가능하다는 것을 깨달았다. 그것은 이상적인 삶이 아닌, 진정한 삶의 가치를 찾는 과정 중에서 얻을 수 있는 보람이라고 생각한다. 이제 나는 미니멀리즘을 통해 물질적인 과다와 불필요한 스트레스를 버리고, 내가 정말로 중요하게 여기는 가치와 목표에 집중하고 있다. 이것은 무엇이 이상적인 삶인지를 다시 고민하고, 나만의 삶을 살아가는 여정 중에서 얻은 깊은 통찰이라고 생각한다. 적게 가지고 더 많이 누리며, 분에 맞는 삶을 통해 나 자신을 더 잘 이해하고 표현하는 것, 이것이 내게 가장 나답고 마음 편한 삶이라고 믿는다.

다시 떼는 첫 걸음. 제 2의 인생

나는 20대에 여러 가지 일을 경험했었고, 환청의 고통으로 5년의 시간을 보내고, 조용해진 내 정신상태에서 이제는 무엇이라도 해보고싶었다. 뭐라도 써보자, 주절주절이라도 해보자라는 결심으로 블로그를 시작했다. 사실 내가 어디로 가야할지 찾고싶은 마음이 깔려있었다. 나만의 무엇인가를 정말로 내가 원하는 것을 찾아보고싶었다. 그래서 끊임없이 질문을 던져보았다. 내가 어릴적에 무엇을 좋아했는지, 무엇을 할 때 즐거운지, 글로 적으며 생각해보았다. 글쓰기를 통해 '나'라는 사람의 색깔을 찾아내기위해 부던히 노력했다고 보면된다. 그러다가 어느 순간, 내 자신이 글을 쓸 때도 즐겁다는 것을 깨달았다. 참 많이 돌아왔지만 내가 도량이 넓고 훌륭한 사람이 아닐지라도, 글을 써야 할 운명이다라는 것을 마음 속 깊이 느꼈다. 앞으로 남은 인생을 글과 함께 즐겁게 살기로 결심했다. 나만이 할 수 있는 일 중 하나는 진실된 내용과, 나의 생각을 글로 표현하는 것이라는 생각이 들어온 것이다. 내 즐거움을 위해, 자기발견과 치유를 위해, 나의 새로운 영역을 만들어 가고 싶은 생각이 들었다. 남자친구 K에게 이런 이야기를 한 적이 있다. “요새 내가 무슨 생각이 들었냐면, 이제 나의 목표는 책 한권 내는건데.. 사실 보통 작가들은 책 한권만으로는 경제적으로 좀 부족하다고 할 수 있는 거라는 이야기를 들었어. 왜냐면 한국에서는 그렇게 책을 많이 읽는 사람들이 적다는 거지. 작가로 생계유지를 하려면 책을 한권한권 쌓아서 인세를 늘려가거나, 책 한권으로 대박을 치는건데, 보통의 많은 작가들은 인디뮤지션처럼 본업을 하나두고 책을 낸다고 할 수 있어. 이제 내가 많이 예전보다 건강해졌잖아. 난 제 2의 인생을 위해 책도 읽고 생각도 해보고 글도 써보면서 자아성찰을 하며 지내려고 했었는데, 음.. 요즘은 진짜 내가 하고싶은 일이 생겼어. 하고싶은 일 열심히 하면서 재미있게 살고싶어. 이제 늙은 할머니가 되어서도 할수있는 평생직업으로 작가와 일러스트, 영상만들기, 노래부르기 같은 창작활동을 생각하고 있어. 지금은 내가 37살이 되었어도 내가 아직 어리다고 보기 때문에, 이 나이에 지금 할 수 있는 일.. 하고싶은 일을 한번 경험해 보고 싶어. 글을 조금씩 조금씩 써나가면서 글을 모아 책을 한권씩 출판해가면서, 나이가 들게되면 글만쓰고 그림을 그리고, 문화생활도 많이하는 것들을 목표로 삼고싶어. 그리고 나는 내가 항상 무뇌란 생각이 들어. 그래서 항상 배움의 자세로 배워나가며 지식을 조금씩 조금씩 쌓아가고 싶어. 큰 엄마가 나한테 하시는 말씀이 자신만의 세계를 구축해나가야 된다고 하는거야. 봉사활동도 하고, 하고싶은 것도 다양하게 경험해야 그것이 좋고 행복한 삶이라고 말씀하셨어. 살아보니까 그게 행복이라고." 이제 나의 삶을 다채로운 색을 가진 물감으로 색칠해 나가고 싶다. 또한, 글쓰기를 통해 경험과 이야기들을 물체화시키고 싶다. 내가 했던 생각들과 느꼈던 감정, 배워왔던 인생의 깨달음, 경험들을 글로써서 마치 물체처럼 내 앞에 보관할 수 있다면 언제든지 그 글에서 다시 그때 그 시절의 생각을 꺼내올 수 있다. 글쓰기를 통해 쉽게 버려지지 않을 나의 생각, 경험, 나만의 이야기들로, 글쓰기를 통해 훗날 과거의 경험을 잘 소화할 수 있기를. 머물고 있는 현재를 더 가치있게 살아갈 수 있기를. 가보지 못한 미래를 더 잘 준비할 수 있기를. 기록이 기억이 된다. 이 간단한 문구는 우리가 경험한 순간을 기록함으로써 그 순간을 다시 불러내고, 공유할 수 있다는 아름다운 진리를 담고 있다. 우리는 인생의 여정에서 다양한 순간들을 겪고, 그 중에서도 일부는 특별한 의미를 갖게 된다. 이러한 순간을 기록함으로써, 우리는 그 순간들을 다음 세대에게 전달하고, 또한 우리 자신에게도 다시 불러낼 수 있는 기회를 창출한다. 말로 표현하는 것은 가치 있고 소중한 일이다. 그러나 말은 흩어지기 쉽고, 시간이 지나면 잊혀질 수 있다. 그에 비해 글은 남게 되며, 우리의 생각과 감정을 담아낸다. 글을 통해 우리는 과거의 경험을 기록하고, 미래의 세대에게 전달할 수 있는 유산을 남길 수 있다. 나의 인생이야기를 기록하고 책으로 만들고자 하는 욕망은 그러한 관점에서 비롯되었다. 우리의 인생은 고유하며 소중한 이야기를 갖고 있다. 이러한 이야기를 글로 남겨두면, 우리의 경험과 지식을 공유할 수 있으며, 우리의 아이들과 손자, 손녀, 그 이후의 세대에게도 전달할 수 있다. 또한, 나의 인생이야기를 책으로 만들면, 그것은 나의 자아를 발견하고 이해하는 과정이 될 것이다. 삶을 돌아보며, 어떤 순간이 나를 형성하고, 어떤 결정이 나의 인생에 영향을 미쳤는지를 더 잘 이해하게 될 것이다. 나의 인생이야기를 기록하면, 그것은 내면의 성장과 깨달음을 얻는 과정이 될 것이다. 그러나 가장 중요한 것은 나의 인생이야기가 나만을 위한 것이 아니라, 다른 사람들에게도 영감을 주고 도움이 될 수 있다는 것이다. 나의 경험과 교훈은 다른 이들과 공유되면서, 그들의 삶에도 긍정적인 영향을 미칠 것이다. 이는 나의 이야기가 작은 책 하나로 시작되지만, 그 책이 다른 이들에게 희망과 인사이트를 제공하게 될 수 있는 무한한 가능성을 가지고 있음을 의미한다. 마지막으로, 나의 인생이야기를 책으로 만들고 남겨두는 것은 우리의 존재가 영원히 기록되어 남을 수 있는 방법이다. 우리는 삶을 살면서 행복과 도전, 성공과 실패를 만나게 된다. 그러나 이러한 순간들을 글로 남겨두면, 우리의 인생은 영원히 세상에 남아있을 것이다. 우리의 이야기는 시간을 초월하여 미래의 세대에 영감과 지식을 전달할 것이며, 그것은 우리의 인생이 무한한 가치를 지니고 있음을 보여줄 것이다. 그래서 나는 나의 인생이야기를 기록하고, 그것을 책으로 만들고, 영원히 세상에 남겨두고 싶다. 이것은 나의 생명의 무한한 가치를 표현하고, 나의 이야기가 다른 이들에게 영감을 주고, 미래의 세대에게도 도움이 될 수 있음을 의미한다. 기록이 기억이 되며, 그 기록은 우리의 이야기를 살아있게 만든다.

나답게 살아가기

욕심 버리고, 힘빼고, 생각에 날개를 달아, 내 기록이 다른 이들에게 힘을 주는 선한 역사가 되도록, 나의 따스한 관심이 누군가의 인생에 조그만 한줄기의 빛이 될 수 있기를 바란다. 이제 남들의 평가, 타인의 시선에 주눅들지 않고 내가 원하는대로, 느끼는 대로 나답게 살아가련다. 당신 또한 마음속의 상자를 살짝 열어서 그 안을 들여다보면 어떨까? 마음속에 숨겨진 자신만의 보석을 찾아내어 반짝반짝 빛이나게 닦아볼 수 있도록. 내가 좋아하는 일을 한다는 것은 참 행복한 일이니까. 마침내 제 2의 인생을 계획하며 내가 잘할 수 있는 일과 좋아하는 일을 찾았다. 나를 정말로 설레게 하고 신나게 할 수 있는 일을 찾았다. 해낼 수 있는 만큼의 귀하고 감사한 기회는 나의 창의성과 영감, 그리고 경험, 지식을 표현해줄 수단인 글이었다. 이제 의미있는 메시지가 담긴 이야기를 전달할 수 있는 작가가 되고픈 생각이 들어왔고, 나의 창의성과 영감에 불을 지펴주고 싶은 욕망이 가득 찼다. 내 생각과 철학을 문장들 속에 풀어놓는 것. 나는 글을 쓰는 창의적인 과정을 사랑하게 된 것만 같다. 나의 적성에 맞고 원하는 일을 발견해낸 것 같아 기분이 설렌다. 나는 이제 내가 무엇을 원하는지 내가 무엇을 좋아하는지. 어떻게 나 자신을 있는 그대로 사랑할 수 있는지 조금씩 알게 되었다. 꾸준함의 힘으로 오늘과 내일을 온 마음 다해서 살아가야 겠다는 생각이 들었다. 좋아하는 일을 하고 싶어서 나는 다시 책상 앞에 앉았다. 내가 하는 일이 나를 위한 일인게 좋았다. 내가 조금씩 나다워지는 이 느낌이 너무 행복하다. 마음을 들여다보고 듣는 일이 익숙해졌다. 내가 느끼는 것들을 글로쓰고, 사람들에게 이야기를 함께 나누고 진심으로 느껴보는 것. 나 자신도 성장하고, 서로에게 좋은 영감을 주면서 더불어 사는 것. 그것이 내가 진정 원하는 일이다. 나는 돈이 많은 사람의 화려함을 동경하지 않는다. 이름을 얻기 위해, 얼굴을 알리기 위해 원하지 않는 것을 하고 싶지 않다. 그렇게 끌려다니면 그저 그런 인생을 살다가 내가 어딘가로 슬며시 사라져 버릴 것 같았다. 타인이 원하는 것이 아니라 내가 원하는 것을 할 수 있어야 비로소 타인이 원하는 매력적인 것을 만들어낼 수 있다. 그런 자연스러운 인생을 이제 살아가고 싶다. 지금 나는 글을 쓰는 것, 독서를하는 것, 강의를 듣는 것, 사람들과 나의 생각을 나누는 것들이 재미있다. 이러한 나의 일들이 누군가에게는 도움이 될 수 있다면, 그것은 내가 앞으로 지속적으로 탐구하고 추구해야할 삶의 목적이 되었다. 내가 원하는 방향을 선택하고, 나 자신의 행복을 위한 결정을 하는 게 당연하다. 누군가 나의 결정을 이상하게 볼 수 있지만 그렇다고 내 결정이 잘못된 것은 아니다. 그저 내가 사는 방식일 뿐이다. 이런 생각을 하고나니 스스로 좀 더 당당해졌다. 피하거나 숨기보다 내가 하는 모든 선택앞에 가슴펴고 당당한 목소리를 내겠다는 각오가 생겼다. 물론 여전히 선택의 순간에는 수많은 방향을 두고 고민을 거듭한다. 가끔은 두렵기도 하다. 내가 한 선택에 대한 책임은 온전히 내 몫이기에 책임의 무게가 나를 누를 때도 있다. 한번뿐인 인생인데, 가고싶은 방향으로 걸어가보는 것이 더 좋지 않을까. 나는 이제 누군가의 삶을 대신 사는 것이 아니라 나의 삶을 사는 중이다. 하지만 아직도 깨닫지 못한 나다움을 찾기위해 애쓰고 있다. 나와 당신은 아주 특별한 존재이고 우리는 모두 사랑받기 위해 태어난 귀중한 사람이다. 그러므로 행복하고 만족하는 삶을 살아가며 누군가에게 도움이 될 수 있는 그러한 삶을 살아보길 바란다.

하고싶은 일이 없다면

주변에서 특히 자주 듣는 공통된 말이 바로 "하고 싶은 일이 없어요.", "뭘 좋아하는지 모르겠다."는 말일 것이다. 그러한 마음을 가진 그들에게 "하고 싶은 일이 없어도 좋다."고 말해주고 싶다. 대부분의 사람들은 하고 싶은 일이 어디선가 저절로 솟아난다고 믿는 것 같지만 하고싶은 일은 '찾아지는 것'이 아니라 '찾아내는 것'이다. 처음부터 적극적으로 찾아나서지 않으면 백날이 지나도 결코 찾지 못한다. 많은 사람들이 자신이 원하는 일을 찾지 못하는 이유는 이제껏 진지하게 찾으려 하지 않았기 때문이라고 생각한다. 진짜 자신이 원하는 일이 무엇인지 알게 된다는 것은 자신의 일생을 좌우할 만한 중요한 열쇠를 찾았다는 뜻이다. 그러므로 진지하고 깊이, 그리고 차분하게 생각하면서 자신의 진짜 일을 고민하는 자세가 무척 중요하다. 특히 중간에 포기하지 않고 끈기있게 찾아가는 자세야 말로, 하고싶은 일을 알아내는데 가장 중요한 덕목이다. 인생에서 하고싶은 일을 발견하고 그 일을 추구하는 것은 우리의 삶을 보다 의미있게 만드는 핵심적인 과정이다. 하고싶은 일을 가지고 삶을 채워나가는 것은 우리의 내적 만족과 성취를 위한 훌륭한 방법 중 하나다. 그러나 때로는 이 일을 찾는 것이 어려울 수 있으며, 어떻게 시작해야 할지 모를 때가 있다. 그렇다면, 어떻게 하고싶은 일을 찾고 추구할 수 있을까? 먼저, 하고싶은 일을 찾기 위해서는 자신을 더 잘 이해하는 것이 중요하다. 자신의 강점, 관심사, 가치관, 그리고 열정을 파악하는 것이 필요하다. 우리가 어떤 일을 좋아하고, 어떤 활동을 할 때 가장 흥미를 느끼는지를 알기 위해 자신과 솔직하게 대화해보는 것이 좋다. 또한, 과거의 경험과 성공, 실패를 돌아보며 자신의 성향과 성격을 분석하는 것도 도움이 된다. 다음으로, 하고싶은 일을 찾는 것은 시간과 노력이 필요하다. 진지하게, 꾸준하게 그것을 찾으려 노력하며 실험하고 탐구하는 것이 중요하다. 이것은 인생의 여정 중에서도 중요한 여정 중 하나이다. 시작은 어렵겠지만, 시도하고 배우는 과정을 통해 우리는 우리 자신을 더 잘 이해하고, 이를 통해 우리의 진정한 열망을 찾을 수 있다. 또한, 다른 사람들과 소통하고 공감하는 것도 도움이 된다. 가족, 친구, 동료, 그리고 멘토와의 대화를 통해 다양한 아이디어와 관점을 얻을 수 있다. 다른 사람들의 이야기와 경험을 듣고 공유하는 것은 우리의 시야를 확장하고 새로운 아이디어를 얻을 수 있는 좋은 방법이다. 마지막으로, 하고싶은 일을 찾고 추구하기 위해서는 포기하지 않는 인내와 투지가 필요하다. 때로는 어려움과 좌절이 찾아올 수 있지만, 이를 극복하고 계속 나아가는 결단력이 중요하다. 하고싶은 일을 찾으면 그 일에 대한 열정을 불태우고, 지속적으로 발전하며 성취를 이룰 수 있을 것이다. 하고싶은 일을 찾는 것은 우리의 삶에 뜻깊은 방향을 제시하고, 삶의 의미를 찾아가는 여정 중에서 중요한 순간 중 하나이다. 진지하게, 꾸준하게 하고싶은 일을 찾아보자. 그것은 우리의 삶을 더 풍요롭고 의미있게 만들 것이며, 우리 자신을 더욱 풍부하고 만족스럽게 느끼게 할 것이다.

늦지 않았어

어른들을 만나면 대부분 하시는 말씀이 인생이 너무나 짧다는 것이었다. 눈 깜짝할 사이에 60이 되고, 70이 되었다면서 빠트리지 않는 말이 다시 인생을 산다면 정말 원하는 일을 하면서 살고 싶다는 것이다. 인생의 짧음과 길이에 대한 인식은 우리가 삶을 어떻게 경험하고 인식하는지에 큰 영향을 미친다. 어른들이 자주 얘기하는 "인생이 짧다"는 문구는 우리에게 지금 이 순간을 소중히 여기고, 미래를 책임지는 중요성을 상기시켜준다. 그러나 이것은 무력감을 느끼게 할 수도 있다. "뒤늦게 시작하기엔 이미 늦었다"는 생각이 들면, 우리의 꿈과 열정을 억누르게 되는 경우가 있다. 그러나 많은 나이에 도달한 순간에도, 우리는 여전히 삶을 즐길 기회와 가능성을 갖고 있다. 우리의 생명은 더 긴 여정을 살기 위한 흥미로운 기회로 가득 차 있다. 벤저민 프랭클린의 명언은 우리에게 그것을 상기시켜준다. "우리는 알지 못한다. 너무 일찍 늙고, 너무 늦게 철이 든다는 사실을." 이것은 우리의 능력과 가능성에 대한 한계를 넘어서라는 메시지를 담고 있다. 우리는 삶을 살면서 항상 성장하고 변화한다. 나이가 들면서도 계속해서 새로운 것을 배우고, 새로운 목표를 설정하며, 새로운 열정을 발견할 수 있다. 늦게 시작하는 것은 결코 늦지 않다. 오히려, 지금이 새로운 시작의 순간일 수 있다. 인생이 짧다는 인식은 우리에게 긍정적인 동기부여를 주어야 한다. 우리는 시간이 제한되어 있다는 사실을 알면서도, 그 한정된 시간 안에서 더욱 의미 있는 삶을 살기 위해 노력할 의지와 열정을 가져야 한다. 늦게 시작하기보다, 지금 시작하고 계속해서 삶의 의미를 찾고 발견하기 위한 모험을 떠날 때, 우리는 더 풍요로운 삶을 살게 될 것이다. 인생은 짧지만, 그 짧은 시간 안에서 우리는 얼마든지 할 수 있는 일이 많다. 지금이 시작의 순간이며, 언제나 새로운 목표를 설정하고 새로운 꿈을 꾸며, 더 나은 내일을 만들어 나갈 수 있는 때다. 많은 나이에 있다고 해서 그것이 우리의 가능성을 제한하지는 않는다. 늦게 시작하는 것도, 오늘부터 더 나은 미래를 만들어가는 것도 가능하다. 인생이 짧다는 것은 우리에게 더 큰 열정과 결단을 가져다줄 수 있는 기회이다.

그냥 좋아하는거 하세요.

당신은 오늘 왜 일하러 가는가? 날마다 그토록 힘들게 일을 하는 목적은 과연 무엇인가? 돈 때문에, 생계를 잇기위해, 가족을 위해, 살기 위해, 아무 생각없이, 솔직히 가기 싫지만 다른 일거리가 없어서 할 수 없이, 더 좋은 일자리가 있을 것 같지만 새로 시작할 용기가 없어서, 여기밖에 일할 곳이 없어서, 겨우 찾은 일자리인지라 오늘도 여기서 일할 뿐 등 많은 이유가 있을 것이다. '돈 때문에' 일한다는 이유를 가진 사람들은 조금 더 파고들어, 그 다음에 어떻게 하고 싶은지를 생각해보자. 돈 때문에 일해서 번 돈으로 무엇을 하고 싶은지 생각해보라는 뜻이다. 생계를 위해서 일을 한다는 이유를 가진 사람이라면 장래에는 어떤 생활을 하고 싶은지 고민해보자. 일하는 의미를 찾을 수 없다고 답한 사람은 자신이 정말 무엇을 하고 싶은지 곰곰이 생각해 보자. 오늘 무엇을 위해서 일하러 가는지 생각해 보는 일은 '과연 내 인생은 이대로 좋은가?'라고 스스로 묻는 계기가 될 것이다. 당신이 정말로 원하는 일을 찾으려면 스스로에게 던지는 질문을 피해선 안된다. 오늘 일하러 가는 의미가 무엇이든, 이 현상을 되짚어보고 앞으로 어떻게 하고 싶은지 또 어떻게 되고 싶은지 스스로에게 자주 물어보라. 만약 '일하러 가고 싶지 않지만 여기밖에 일할 곳이 없다.'라고 생각했다면 이런 질문을 던져 보아야 한다. "내가 매일같이 기쁜 마음으로 일하러 가고 싶은 일은 과연 무엇일까?" 이런 질문을 자신에게 던질 수 있어야만 비로소 자신이 하고 싶은 일에 대한 고민을 제대로 시작했다고 볼 수 있다. 이렇게 자신에게 질문하는 시간을 조금씩 늘려가야 한다. 그렇지 않으면 아무리 세월이 흘러도 자신이 하고싶은 일이 무엇인지 알지 못한 채로 살다가 죽게 된다. 하고싶은 일을 찾기 위한 방법은 하나다. 가장 먼저 지금 당신을 속박하고 있는 것을 모두 벗어던지면 된다. 그렇게 머릿속을 싹 비운 상태에서 생각해보자. 우선 구체적으로 할 수 없는 이유들을 걷어치워야 한다. 인생은 원래 그 누구도 아닌 자신을 위한 것이다. 자신 이외의 무언가에 얽매여 살아가는 동안에 자신이 해야할 일을 미루거나 방관하는 것이야말로 인생을 헛되이 낭비하는 것이다. 만약 지금은 여러가지 여건 때문에 하고싶은 일을 실행에 옮기기 힘든 상황에 놓여 있더라도 생각이나 의식만큼은 마음껏 해보길 권한다. 그렇게 해야 결과적으로 당신이 하고싶은 일에 관해 필요한 정보와 기회를 끌어당길 수 있기 때문이다. 생각하고 의식하는 것만으로도 자연히 정보를 수집하게끔 연결된다. 당신이 정말 하고 싶은일을 고민할 때는 먼저 지금 당신을 옥죄고 있는 굴레를 훌훌 벗어던지는 것부터 시작해보자. 당신이 안고 있는 여러가지 문제를 의식한 채로는, 하고 싶은 일에 제동을 거는 방해요인만 잔뜩 떠올라 결국은 원하는 일에 대해 깊이 생각하는 것 자체를 포기하게 된다. 부디 자유로운 발상으로 하고 싶은 일을 생각하려면 당신이 가지고 있는 굴레를 전부 벗어던지고 가벼져야만 한다. 그래야 비로소, 진짜 어떤 일을 원하는지, 또 무엇을 하고 싶은지를 생각해볼 시간과 마주할 수 있다. "살아가는 동안에 뭔가 하고 싶은 일이 있다면 어떤 일을 하고 싶으세요?" "한번 진지하게 생각해보시겠어요?" 이 질문에 대한 해답은 간단하다. 하고 싶은 일이 없고 생각조차 나지 않는다고 생각하는 사람도 '좋아하는 것과 싫어하는 것'의 항목을 각각 최소 50개 정도 노트에 적어보자. 처음에는 잘 떠오르지 않겠지만, 조금씩 자신을 파악해나가며 감으로써 점점 '생각하는 일'에 익숙해지는 것이 중요하다. 이 작업을 해보면 모두 각자 좋아하고 싫어하는 것이 제각각 다르다는 사실을 발견하게 될 것이다. 이 리스트를 적어놓은 노트를 보게 되면 당신의 기호와 성향을 나타내는 중요한 실마리를 제공한다. 이러한 편향 속에서 당신이 정말로 하고싶은 일을 차츰 발견해나가는 것이다. 하고싶은 일을 찾는 데 가장 필요한 것은 '내가 정말로 하고 싶은 일은 무엇일까?'에 대해 '생각하는 시간'을 늘리는 일이다. 처음부터 쉽게 찾을 수는 없지만 일단 이렇게 간단하게 시작해보는 것이 좋다. "왜 남한테 장단을 맞추려고 하나. 북치고 장구치고 니 하고싶은 대로 치다보면 그 장단에 맞추고 싶은 사람들이 와서 춤추는거여." <박막례 / 이대로 죽을 순 없다> 나는 철저히 내가 좋아하는 일을 하려고 노력한다. 이것은 단순히 쾌락만을 추구하는 것으로 보아서는 곤란하다. 신체적, 정신적 노동을 하지만 그것에 부정적인 에너지를 끼워 넣지 않는다는 의미로 보면 된다. 이렇게 자신이 좋아하는 일을 철저히 추구하는 삶을 살려면 자신의 내면에 더해, 잠재의식에 대해 잘 알아내야 한다. 비움을 통해 내면과 자주 만나는 시간을 가지면 자신이 진정 좋아하는 일을 알게되고, 그것만 추구하겠다는 용기와 자신감이 생긴다. 그리고 힘듦이 힘들지 않게 된다. 나는 당신이 내면의 소리를 듣고 싫어하는 일은 대체하고, 자신이 좋아하는 일로 가득찬 삶을 즐기길 바란다. 좋아하는 일을 하는 것은 절대 나쁜 것이 아니다. 오히려 현명한 것이다. 반면 좋아하지 않는 일을 하는 것은 승산없는 게임이나 마찬가지다. 선택하고 집중한다함은 선택한 하나를 위해 다른 것의 비중을 줄이는게 아니라 선택한 하나를 위해 다른 것을 버려야 한다는 것이다. 그제야 남은 하나에 대해 진정으로 집중할 수 있는 것이다. 스티브 잡스님도 이렇게 말하셨다. 가장 중요한 결정이란 무엇을 할 것인가가 아니라 무엇을 하지 않을것인가로 결정하는것이라고.

"잘하는 하나에 주력하고 다른 것을 버려라. 내가 반복해서 외우는 주문 중 하나는 집중(Focus)과 단순함(Simplicity)이다." <스티브잡스>

직감 믿어보기

생애는 흘러가는 시간을 따라 끝없이 나아가는 여정이자, 한정된 자원과 기회를 최대한 활용하는 과정이다. 그럼에도 불구하고 우리는 때때로 자신의 진정한 열망과 목표를 놓치고, 현재의 안락한 상태에 안주하곤 한다. 그러나 우리는 인생이 짧다는 사실을 기억하며, 결단을 내릴 때 자신의 직감을 믿는 것이 중요하다는 것을 알아야 한다. 결단을 내릴 때, 우리는 사실상 믿음을 표현하는 것이다. 자신의 능력과 열망, 그리고 선택한 길에 대한 믿음이 필요하다. 지금 내가 하는 일이 미래에 나를 어떻게 성장시키고 풍요한 삶을 만들어줄 것이라고 믿는다면, 그 믿음을 키우고 유지해야 한다. 인생은 짧고 한정된 시간이니까. 우리는 각자의 인생을 살아가며, 어떤 것이 우리에게 진정으로 중요한지를 파악해야 한다. 그러려면 결단을 내리고 자신의 직감을 믿어야 한다. 작은 일부터 시작하여 그 결과를 분석하고, 계속해서 생각하고 행동함으로써 우리는 진정으로 하고 싶은 일을 찾게 될 것이다. 이것은 인생의 여정 중에서도 중요한 부분 중 하나이다. 자신의 직감을 믿을 때까지 끊임없이 생각하고 결단하는 것은 하고 싶은 일을 찾는 방법이다. 우리는 때로는 현재의 상황이나 사회적 압력에 휩쓸려 자신의 진정한 열망을 무시하거나 감추기 쉽다. 결단을 내릴 때, 우리는 우리 자신을 믿고, 더 나은 미래를 향한 첫걸음을 내딛는 것이다. 그렇게 하여 우리는 우리의 인생을 더욱 풍요롭고 의미있게 만들 수 있을 것이며, 결국에는 진정으로 하고 싶은 일을 찾아내게 될 것이다. 생각하고 행동하며 작은 결과를 얻고 또 생각해보는 과정을 통해, 우리의 직감을 믿을 수 있는 날이 머지 않아 올 것이다. 이제 우리의 직감을 믿고 결단을 내린다면, 우리는 하고 싶은 일을 찾는 여정을 시작할 것이다.

변화하는 사람 되기.

"지금 이대로 하던 일을 계속한다면 미래에 과연 이 일에 만족했다고 자신 있게 말할 수 있을까?“

"지금 당장의 지위와 대우는 크게 중요하지 않아. 내 인생에서 더 중요한 건 무엇일까?“

"내가 진짜 원하는 일은 뭘까? 지금 하고 있는 일로 괜찮은 걸까?"

"현재 환경에서는 더 이상 크게 성장할 가망이 없어. 그런데 왜 나는 여기에 있는 걸까?“

"죽기 직전에, 지금의 연장선상에 있는 내 모습에 미치도록 후회하지 않을까?"

일단 뭔가 해보자는 마음이 들었다면 어떤 일을 시작하거나 달라지기로 마음먹었다면 절대로 망설여서는 안 된다. 변화하겠다고 결심했다면 한순간도 망설이거나 흔들리지 말고 힘차게 앞으로 나아가야 한다. 성공하는 모습만 머릿속에 떠올릴 정도로 강인한 의지가 필요하다. 자신이 하고 싶은 일을 하기로 마음먹었다면 주위 사람들의 말에 흔들리지 말아야 한다. 다른 사람이 어떻게 생각할지를 의식하지 말고 내가 어떤 모습이고 싶은지를 생각해야 한다. 당신의 인생이다. 다른 사람이 어떻게 생각할지에 얽매이기보단 자신이 어떻게 되고 싶은지를 생각해 보자.

<변화를 가로막는 7가지 장애물'을 극복하는 법>

1) 공포
강렬한 희망으로 성공한 미래를 상상하고 실제 행동으로 옮겨라.

2) 불안

불안요소를 하나씩 정리하고 마지막에 결단을 내려라

3) 망설임

한순간도 망설이지 말고 저돌적이고 힘차게 나아가라.

4) 습관

다른 사람의 의견과 시선에 신경 쓰지 말고 자신이 어떻게 되고 싶은지를 생각하라.

5) 소심함

'지켜야 할 것'에 대해서 약속을 할 수 있는 '자신감'과 '신념'을 지녀라.

6) 사욕

손에 넣고 싶은 것, 손에서 놓지 말아야 할 것이 무엇인지를 구분하라.

7) 잡음

강한 의지와 간절한 마음의 소리로 잡음을 떨쳐내고 결단을 내려 도전하라.

나 자신에 대해서 알게되면 남들과 비교하지 않게 된다. 남들이 좋다고 해서, 남들이 한다고 해서 따라하는 것은 자신에 대해 잘 알지 못하기 때문이다. 비움을 통해 자신에 대해 알게되면 남들과 비교할 필요가 없다. 남들의 욕구와 내 욕구를 구분지어 생각할 줄 알게되고 나만의 속도로 가는 법을 배우게 된다. 나에 대해 알고, 남과 비교하지 않으면 당연히 나를 사랑할 수 밖에 없다. 나를 사랑하지 못하는 것은 남들과 나를 비교하기 때문이다. 남들과 나를 비교하는 것은 나를 잘 알지 못하기 때문이다. 나를 잘 알게되고, 나의 내면의 소리에 귀 기울이게 되면 나를 사랑할 수밖에 없어진다. 변화하는 사람이란 '항상 새로운 변화를 추구하는 사람'을 일컫는다. 변화하지 않는 사람은 퇴화하는 것이나 다름없다. '미래에 더 발전하고 싶다. 하고 싶은 일을 하며 살고 싶다. 단 한 번뿐인 인생을 후회하고 싶지 않다'라는 생각을 하는 것도 중요하지만, 생각만 하고 있어서는 무엇 하나 바뀌지 않는다. 자신이 이제껏 해 왔던 행동을 바꾸지 않고서 변화란 절대로 찾아오지 않는다. 다시 말해 '꾸준히 변화하는 사람'이 되는 길 밖에는 없다. 당신이 '하고 싶은 일'을 실현하려면 구체적으로 어떻게 해야 하는지를 고민하고 그것을 기준으로 지금까지와 다르게 행동해야 한다. 전문분야의 책을 읽는다거나, 관심 있는 강의나 세미나에 참가하는 일, 또는 필요한 기술을 습득하기 위해 학원을 다니거나 매일 인터넷으로 하고 싶은 일에 대해 상세히 조사하는 일도 좋다. 지금 당장 시작할 수 있는 작은 일이라도 상관없다. 자신이 원하는 일을 찾았다면 그것을 실현할 수 있도록 조금씩 움직이기 시작해야 한다. 그렇게 변화하는 사람이 되어 갈 때 당신의 미래는 달라지기 시작할 것이다.

몰입의 시간

우리가 살아가는 동안 하고 싶은 일을 '실천'하는 것은 인생에서 매우 중요한 일이다. '실천'은 누가 시켜서 하는 일도 아니고, 스스로 결정하고 자신이 몰두해야 할 일이다. 사람은 누구나 정말 원하던 일에 열중할 때 시간에서 완전히 해방되어 몰입하게 된다. 하기 싫은 일을 억지로 하고 있을 때는 '아직도 2시간이나 남았어'라고 느껴지는 반면에, 하고 싶은 일을 할 때는 '어라? 벌써 2시간이 지나버린 거야?'라고 할 정도로 시간 감각이 다르다. 정신없이 몰두하다 보면 항상 시간이 부족하게 느껴진다. 변화하는 사람에게는 이렇게 한 시도 허투루 보내지 않는 적극적인 시기가 반드시 필요하다.

<나 자신으로 살기위한 방법 5>

01. 생계를 유지하는 방법은 무수히 많다. 진정한 나로 온전히 행복한 삶을 추구하는 여정 중에 자신의 본성을 깊이 들여다볼 수 있게 되면 어떤 일이 자신과 잘 맞는지 알 수 있다.
02. 거짓말 안 하기 도전을 마치면 선택을 내려야 한다. 원래 살던 방식대로 살 것인지 아니면 사람들이 인정하지 않아도 자신만의 신실한 삶을 살 것인가 결정해야 한다.
03. 천천히 가되 꾸준히 가면 된다. 거짓된 믿음을 추적하고 그 믿음을 추적하고 그 믿음에 질문을 던지고 진정한 가치관에 따라 대응하기를 1000번 반복하다 보면 매번 조금씩 좋아진다. 넘어진다고 해서 세상이 끝난 게 아니다.
04. 항상 진심으로 원하는 일을 하라. 정말로 원하는 방향으로 1도씩 조정하라.
05. 진정으로 아는 것을 알고 진정으로 느끼는 것을 느끼고 진정으로 의도한 것을 말하고 진정으로 원하는 것을 하라.

자신의 일 사랑하기

좋아하는 일을 직업으로 삼을 수 있다면 얼마나 좋을까? 한 번쯤은 이런 상상을 해본 적이 있을 것이다. 인생을 특별하게 살고 싶다면 어떻해서든지 자신이 하고 있는 일에 대한 동기부여를 통한 애정으로 대하는 좋아하는 단계에서 사랑하는 단계까지 끌어올려야 한다. 자신의 일을 사랑한다는 것은 어떤 의미일까? 그것은 아무리 힘겨운 상황에 부딪쳐도 그 일을 좋아하는 상태, 포기할 수 없는 상황, 목숨을 걸고 몰입할 정도를 말한다. 애플사의 창업자인 스티브 잡스는 이렇게 말했다. "나는 내가 창업한 회사에서 해고 되었고 몇 개월 간 아무 일도 손에 잡히지 않아 실리콘 밸리에서도 은퇴하려고 생각했답니다. 하지만 아무 일도 하지 않은 채 고민하고 괴로워하는 동안 그래도 역시 내가 이 일을 좋아하고 그 무엇보다 사랑한다는 사실을 깨달았지요. 그래서 처음부터 다시 해보기로 마음 먹었습니다." 그 후 스티브 잡스는 넥스트사를 새로 창립하고 토이스토리 등의 디즈니 애니메이션을 제작하는 픽사 애니메이션 스튜디오사를 인수했으며, 마침내는 해고된 애플 사로 멋지게 복귀했다. 잡스는 이렇게 말했다. "성공했다면 누가 뭐래도 일을 사랑하는 것이다." 당신은 지금 몰두하고 있는 일을 사랑하는가? 이 질문에 대한 답이 분명히 '아니오!'라면 사랑할 수 있는 일이 따로 있다는 뜻이다. 그렇다면 당신은 지금 당장이라도 변화하는 사람이 될 필요가 있음을 자각해야 한다. "실패했을 때 그만두기 때문에 실패하는 것이다. 성공할 때까지 계속하면 성공한다."

정말로 하고 싶었던 일.

내가 진짜 바라는 것은 당신이 인생에서 정말로 하고 싶었던 일을 찾아내 시간이 어떻게 지나가는지 잊을 정도로 알찬 나날을 보내고 언젠가 다가올 마지막 날에 "정말 잘 살아온 인생이었어."라고 말할 수 있게 되는 것이다. 나는 하루하루 의미있는 오늘에 집중하기로 했다. 진정으로 내가 필요로 하는 일들을 찾아나서기로 했다. 의미있는 삶은 끝나는 날까지 아름답다. 그렇기에 가짜의미가 아닌 진짜 나만의 의미가 중요하다. 내가 즐거운 일, 내가 행복한 일, 가끔 찡그려도 곧 웃음이 피어나는 일과 함께라면 그것이 진짜 의미있는 삶이 되는거다. 앞으로 매일 거울 앞에 서서 자신에게 질문을 던져보자. "만약 오늘이 마지막 날이라고 해도, 오늘 하려는 일을 계속하고 싶은가?" 만일 질문에 대한 대답이 "네."라면 당신은 전혀 걱정할 필요가 없다. 하지만 대답이 "아니요."라면, 오늘 하려던 일을 그대로 계속해야 할지 진지하게 고민할 필요가 있다. 당신의 인생에서 하고 싶지 않은 일에 허비하는 시간은 과연 얼마만큼 가치가 있을까? 한정된 시간 속에서 살아가는 인생인데 오늘 하려는 일이 정말로 당신이 원하는 일이기를 바란다. 물론 그저 싫어하는 일에서 서둘러 도망치라는 뜻은 절대 아니다. 정말 하고 싶은 일이라면 역경 앞에서도 당당히 맞서야 한다는 뜻이다. 하지만 오늘, 지금부터 일터로 가서 하려는 일이 아무리 생각해도 당신이 원하는 일이 아니라면 그때는 앞으로의 인생에 관해서 다시금 차분하게 생각해야 한다. 괴테는 게을러지거나 반대로 너무 서두르는 사람들에게 자신의 속도에 맞춰 행동할 것을 권한다. 사람들에겐 모두 자기 운명의 궤도가 있으니 운명의 흐름을 느끼고 발맞추어 앞으로 나아가라는 것이다. 오늘부터 당장 거울 앞에 서서 자신을 향해 진지하게 물어보라. 하고 싶지 않은 일에 허비하는 시간이야말로 당신 인생을 크게 낭비하는 일이다.

스티브잡스의 '점'과 '점'

당신이 이대로 인생을 끝마치고 싶지 않다면, 당연히 지금 상태로는 안된다. 그저 별 생각없이 지금과 똑같은 나날을 흘려보내는 한 당신의 인생은 앞으로도 계속 이대로일 것이기 때문이다. 인생에는 때때로 과감하게 행동을 취해야 하는 순간이 반드시 온다. 그게 언제일지는 사람마다 다르겠지만 인생을 크게 바꾸고싶다면 무대를 바꾸는 것도 하나의 방법이다. 무대를 바꾼다는 것은 지금 있는 장소나 하고있는 일에 큰 변화를 주는 일이다. 무대를 바꾸기란 결코 쉽지 않으며 무척 큰 용기가 필요하다. 당연히 그만큼의 리스크도 따른다. 하지만 바꿀 용기를 내지 않으면 당신의 인생은 아무것도 달라지지 않는다는 사실은 틀림없다. 이대로의 모습으로 인생을 끝내고 싶지 않다면 용기를 내서 바꿔보는 것 외에 다른 방법이란 없다. 당신 인생의 무대를 바꿀 수 있는 사람은 당신 외에 아무도 없기 때문이다. 애플 사의 창업자 스티브잡스가 몇년 전 했던 연설 중에 '점과 점'이라는 이야기가 나온다. 잡스가 막 태어났을 때 아직 대학원생이었던 그의 생모는 잡스를 노동자 계급의 양부모에게 양자로 보냈다는 것은 잘 알려진 사실이다. 잡스의 생모는 이때 자신의 아이를 반드시 대학에 진학시킬 것을 조건으로 걸었다고 한다. 양부모는 죽을 힘을 다해 일해서 모은 예금을 모두 쏟아부어 약속대로 잡스를 대학에 보냈다. 하지만 잡스는 그 시절에 대해 이렇게 고백한다."그때 나는 장래에 내가 무엇을 하고 싶은지도 알지 못했고, 대학 수업이 내 꿈을 찾는 데 어떤 도움을 주는지도 몰랐어요. 그러면서도 나는 부모가 죽을 힘을 다해 모은 돈을 거저 쓰기만 했지요. 그래서 대학을 그만두기로 결심했습니다." 입학한 지 겨우 6개월 만에 잡스는 정말로 대학을 중퇴했다. 하지만 학교를 그만두기로 결심한 그날부터 자신이 가장 관심 있는 수업만을 골라 청강하기 시작했다. 잡스는 학교를 그만두기로 마음먹었기에 졸업에 필요한 일반 과목은 더 이상 듣지 않아도 되었고, 대신 캘리그래피라는 '문자의 형태'를 배우는 강의에 몰래 숨어들어갔다. 당시 잡스가 다니던 리드 대학교에서는 문자의 서체나 간격 등을 세세하게 조정하면서 문자를 아름답게 보이게 하는 표현방법, 즉 캘리그래피에 관해 세계에서 으뜸가는 강의를 제공하고 있었다. 그때 그 강의에서 배운 모든 내용이 나중에 잡스의 인생에 도움이 될 거라고는 당시에는 아무도 상상하지 못했다. 하지만 10년 후 잡스가 최초의 매킨토시를 개발했을 때 이 캘리그래피를 배운 경험이 큰 도움이 되었다. 잡스는 몰래 배운 캘리그래피 기술을 맥에 심어 넣었다. 그렇게 해서 세계 최초로 아름다운 서체를 탑재한 컴퓨터가 완성된 것이다. 만일 잡스가 대학 시절에 그 강의를 몰래 듣지 않았다면 맥에 아름다운 서체가 탑재되는 일은 일어나지 않았을 것이고, 그 외의 모든 컴퓨터에도 아름다운 서체는 탑재되지 못했을 것이다. 물론 이 '점'과 '점'을 연결한 것 같은 결과는 당시에는 누구도 예상하지 못했다. 하지만 10년 후에 확실히 알게 된 것이다. "연결하고 싶다고 해서 '점과 점'을 이을 수는 없어요. 나중에서야 비로소 '점과 점'이 연결되는거지요. 여러분도 장래 어떻게든 점이 연결될 것이라고 믿으십시오. 모두 무언가를 믿어야 합니다. 왜냐하면 언젠가 '

점과 점'이 선으로 이어질 거라고 믿으면 자신감이 생기고 그 자신감은 나중에 큰 차이로 나타날 테니까요." 잡스가 하고 싶었던 말은, 자신이 정말로 흥미를 느낀 일은 직감이 시키는 대로 해 볼 것. 그리고 그 실행이 장래에 반드시 도움이 될거라고 믿고 행동하라는 것이다. 그는 우리가 살아가는 데 중요한 것을 전해주었다. '지금 이대로의 모습으로 인생을 끝마치고 싶지 않다'고 생각한다면 지금 당신이 흥미를 느낀 일에 더 많은 시간을 할애해야 한다는 소중한 사실을 말이다. 지금부터 당신이 찍을 최초의 '점'은 무엇인가?

창조적인 삶

나에게 재미요소로 다가오는 것이 몇 가지 있다. 수다, 배움, 활동적, 기록, 공유, 창작이다. '읽기'와 '쓰는 능력'이 있기에, 읽고 쓰는 것은 내가 좋아하는 일들 중 하나이기에, 현재의 난 '책읽기'와 '글쓰기'가 주는 위로에 기대어 살고있다. 나는 내가 좋아하는 일을 하며 살아갈 수 있어 너무나 행복하다. '글쓰기'는 나와의 따스한 대화다. 때때로 종이에 적혀져 있는 자그마한 활자를 읽어가며 나 자신과 이야기를 나눈다. 그러한 지금이 나는 너무나 소중하게 느껴진다. 글쓰는 일이 너무 즐겁다고 느껴진다. 여전히 나만의 글쓰기의 색깔, 문체에 대한 고민은 끝이 없지만, '재미있으면 쓴다'는 나의 가치관은 여전히 또렷하다.

이전의 나는 하고싶은게 명확했고, 세상은 꿈꾸는 대로 움직여 줄거라 확신했다. 지금의 나는 좋아하는 것과 싫어하는 것쯤은 자의적으로 구분하여 조절할 수 있는 감정을 가지게되었고, 관계 온도 조절도 가능해졌기에, 뜨거울 땐 뜨겁고, 차가울 땐 차가운 자유를 가지게 되었다. 글을 쓰고, 그림을 그리고, 좋아하는 음악을 듣고, 심심할 땐 춤을 추고, 바람의 소리에 맞추어 여행을 떠나고, 예정되지 않은 길을 걷는 삶은 나를 행복하게 해준다. "심플한 삶은 모든 것을 즐길 줄 아는 것. 가장 평범하고 보잘것 없는 것에서도 즐거움을 발견하는 것이다." <도미니크 로로> 나는 이러한 삶의 재미 때문에 평생 창작하는 삶을 살아가고 싶다. 다양한 창작작업으로 사람들과 소통하며 오랫동안 읽히는 작가가 되고싶고, 아흔이 되어도, 내가 좋아하는 창작활동을 하며, 작업을 마치면 깔깔 웃으며, 친구들, 가족들과 함께 맛있는 음식이나, 커피를 마시며 수다를 떨며 살아가는 것. 그것이 나의 꿈이 되었다. 그렇게 살기위해, 나의 이름으로 살아가기 위해, 나만의 것을 부끄러워하지 않는 내가 지속되길 바란다. 물론 나는 완벽하지 않아도 좋다는 마음을 가지면서 살아가고 있다. 완벽한 인간은 이 세상에 없으니까. 나는 오늘이 내 인생에서 가장 젊은 날이라 생각하면서 살아갈 것이다. 나를 위해 벅차게 기뻐하면서 말이다. 하고싶은게 무엇인지 모르는 나 자신을 가지고 있는 사람이라면, 관심분야를 탐험하고 경험해보라고 말하고 싶다. 경험을 하게되면, 내가 이 일을 좋아하는지, 싫어하는지를 금방 구분할 수 있게 되니까. 경험을 통해 많은 것을 배우기도 하고, 세상을 살아가는 방법을 깨우칠 수도 있다. 모든 사람들이 나 자신을 잃지 않고 본연의 존재로 살아갔으면 좋겠다는 마음이다.

버킷리스트 이루기.

우리는 지구라는 Our Home에 초대받아 태어나게 된 인간이라는 생명체이다. 우리는 이 세상에 태어나 자신의 꿈에 대한 목적을 달성하기 위해 지구라는 곳에 왔다. 그러니 자신이 얻고픈 것에 목적을 두고 열심히 생명을 누리며 살다가 자신만의 버킷리스트인 그 꿈을 이루고 떠나면 그만이다. 무엇때문에 자신이 지구에 왔는지 흔적이라도 남긴채 늙은 나이가 되는 날이오면 하늘로 떠나가야 한다. 단 한번뿐인 인생의 삶 속에서 자신만의 환경이란 현실이란 울타리에서 이룰 수 있을만한 꿈들을 노트에 적어놓아보자. 그 버킷리스트의 소망을 위해 살고 그것만을 이뤄낸채 우리는 지구에 살다 하늘로 떠나가면 된다. 물론 뜻대로 할 수 없는 일들이 많다. 예부터 집안의 어른들의 말씀이 있다. 분수껏 살아야 탈이없고 뱁새가 황새 쫓아가면 가랑이가 찢어진다고. 우리는 자신을 구성하는 모든 요소를 거의 선택할 순 없다. 죽는 날을 선택하는 것도 그렇다. 누군가는 부유한 집안으로 태어났고, 누군가는 예쁜얼굴, 잘생긴 얼굴로 태어났고, 누군가는 가난한 집안에서 태어나 불운감을 느끼며 살아가기도 한다. 우리에겐 아무것도 선택할 수 없는 환경이란 울타리가 존재한다. 누구나 사회적으로 출발선이 다를 수 밖에 없다. 우리가 할 수 있는 일은 그 각각 다른 출발선에 서서 자신만의 목적지인 꿈을 찾아 천천히 걸어나가는 것이다. "내 주어진 울타리 안에서 다른 울타리를 힐끗힐끗 넘겨보며 신경쓰고 싶지 않아. 내가 해결할 수 없고 선택하지 못할 울타리야. 나는 내 울타리 환경에서 선택할 수 있는 것들에만 집중할래. 단순하고 평범해도 괜찮아. 사랑하는 가족과 저녁 늦게라도 함께할 수 있는 지금 이 삶이 중요해." '장폴 샤르트르'가 말한다. "인생은 'B'birth, 'D'death 사이의 'C'choice" 내가 선택할 수 없는 걸 붙들고 불평하지 말고, 내가 선택할 수 있는 걸 심사숙고하게 선택하여 그 택한 일에 후회하지 말자. 나의 행복. 우리가 스스로 지켜나가자. 당신은 무엇을 이 세상에 남겨놓고 싶은가? 내 인생의 의무는 단 하나뿐이다. 단순하게 행복해지는 것. 아름다운 것을 아름다움으로 느끼고 받아들이는 것. 그게 인생 최고의 소명이다. 그 안에서 제일 커다란 나의 버킷 리스트는 영원한 사랑이다. 가족, 남자친구와의 밝게 물든 사랑으로 나의 삶을 행복하게 살아가고 싶다. 이런 나에게도 항상 자유로움이 붙어다닐까? 자유. 이 말은 듣기만 해도 해방감에 차오르는 빛나는 행복이다. 마음이 열리고 흐뭇한 웃음의 바람이 불어오는 느낌이다. 나를 안다는것. 자신의 강점, 성격, 흥미, 가치관을 알고있는것만으로 혼자서 다 할수있고 혼자서 살수있을거라 생각했다. 하지만 혼자서는 아무런 의미가없었다. 홀로인생은 휑한바닥에 혼자 널부러진 공허한 느낌이었다. 하지만 내가 사랑하는 사람들과 함께있으면 열정에너지, 긍정에너지가 넘쳐난다. 활기가느껴진다. 혼자있어보니 혼자서는 아무런 의미가 없다는것을 깨달았다. 무인도에 홀로남은듯한 자유로움도 지루하다는것을 깨달았다. 누군가를 위해 사는 것. 목적, 목표을 위해 사는 것. 사랑으로 함께 더불어 살아가는 것. 그것이 내가 지루한 인생을 살아가지 않을 수 있는 방법이었다.

에필로그

행복은 마음속에 숨겨져 있다.

경제적이고 기술적인 진보로 인한 높아진 생활수준의 기대치는 우리에게 중압감을 가중화시킨다. 생활수준이 높아져 현대 문화는 많은 이들에게 드리워진 불안을 소비가 해결해 줄 거라는 생각을 하게 한다. 불안과 욕망을 단지 물질적으로 해결하려는 것은 잘못되었다. 소박하게 사는 방식만이 정신적 부활을 일으킨다. <조금 내려놓으면 좀 더 행복해진다>에서는 소박함을 추구하는 가장 좋은 방법은 우리의 사회 속에서 좋은 성취라고 여겨지는 기준에 반하여 다시 생각해 보는 것이라고 했다. 자본주의 사회에서는 돈이 보통 가장 중요한 가치의 척도로 여겨진다. 왜냐하면 돈은 금융자본에서 돌아올 수 있는 이익이 가장 극대화될 수 있는 분명한 대상이기 때문이다. 따라서 경쟁과 개인주의, 물질적 소비는 사람들에게 가장 선호되는 문화적 가치의 척도로 여겨진다. 현재의 삶이 불만족스럽다면 무언가를 잃어버렸다는 생각이 든다면, 소박하게 사는 삶이라는 것이 당신을 매료시킬 수 있을 것이다. 나는 소박한 삶을 원한다. 소박함은 화려하지는 않지만 편안하고, 쪼들리지는 않지만, 검소하며, 지루하지는 않지만 바른 삶을 유지할 수 있도록 이끄는 지름길이다. 나는 자신에게 정말 중요하다고 여기는 것들에 최대한 집중하기 위해서 삶을 가능한 한 소박하게 살고 있다. "나는 이렇게 생각해. 내게서 가장 중요하다고 여기는 것들이 나를 구성하는 거야. 나 자신이라는 것 외에 다른 에너지를 펼치진 않아." 나는 반드시 필요하지 않은 것은 모두 제지해 버렸다. 내가 좋아하는 일상이 무너지지 않게 하려고 상당히 낮은 수입으로 삶을 꾸려가길 선택했다. 지나치게 복잡하고 혼란스러운 것이 아닌 자유로운 삶을 즐긴다. 그리곤 삶에서 사랑하는 것을 성취하기 위해 열정이라는 단어를 택했다. 나는 나 자신의 삶에 애정을 가지면서 작가라는 목적에 헌신하기로 했다. 물론 소박한 삶의 기준이 저마다 다를 수는 있지만, 자신의 분수에 맞는 삶을 추구하며 살아가는 것이 아닐까. 사람이 살아가는 데에 가장 큰 목표는 행복이다. 멋진 차, 크고 좋은 집, 좋은 직장을 추구하는 것을 따지고 보면 이런 것들을 가지면 행복할 것이라는 느낌이 들어서 일 것이다. 하지만 행복은 자기 마음속에 숨겨져 있다. 그 숨겨진 자신만의 보물을 찾는 사람은 누구나 행복해질 수 있다. 큰 욕심을 조금만 버린다면 행복을 찾아낼 수 있다. 작은 것 하나에 만족할 수 있는 삶을 깨우친다면 타인과 비교하면서 불행해지지도 않을 것이다. 행복을 찾는 방법은 그리 어려운 일이 아니다. 소비로 행복을 느끼기보다 덜 소유하면서 가지고 있는 것을 음미하며, 자신이 사랑하는 일을 음미하며, 작지만 커다란 사랑을 음미하며, 건강한 음식을 음미하며, 존재하는 시간 자체를 음미하며, 소박함의 행복을 느껴보자. 항상 이것을 마음에 새겨라. 행복한 삶을 영위하는데 필요한 것은 사실 매우 적은 것들이다.

"우리는 기억해야 한다. 검소함이란 단지 힘든 절제나 곤궁이 아니다. 적은 것을 통해 더 많은 것을 할 수 있는 우아한 검소함이라는 사실을 말이다."

<헨리크 스콜리모우스키>

"사람이 자신의 일상적인 욕구를 늘리고 싶어하는 순간, 평범한 삶과 깊은 사색의 이상적인 추구로부터 멀어지게 된다. 사람의 행복은 진정으로 만족하는 것에 달려 있다."

<마하트마 간디>

"소박함의 추구는 신비롭다. 왜냐하면 소박함은 우리를 세상의 거의 모든 사람이 가려고 하는 방향과 완벽하게 정반대로 이끌기 때문이다. 예를들어 과도한 자기치장, 부의 축적, 이기주의, 공적인 과시와 같은 소비문화의 외향적인 것들이 아닌 더 조용하고 겸손하며 투명한 자기 삶으로 우리를 향하게 한다."

<마트 A. 버취>

미칠듯 변화하고 싶었다.

미칠듯 변화하고 싶었던 그런 날이 있었다. 마음이 바닥 밑에 내려앉아 더 이상 내려갈 수 없었던 그런 날이 내게 있었다. 지나고 보니 그 날들의 경험은 너무나 소중했다. 두번 다시 그 바닥을 경험하기 싫었기에 내 마음은 바닥에 닿지 않았다. 설령 바닥에 닿는 날이 올지라도 나를 끌어올릴 수 있는 지혜를 가지게 되었다. 아픔에는 배움이 있었고 부족함 속에서도 배움이 있었다. 지금 나의 영혼의 평안함은 최고의 행복이고 기쁨이며 감사이다. 우리는 모두 죽음을 경험한다. 삶의 최고의 공평함이다. 그 공평함으로 사는동안 어떻게 살아야 하는지를 깨닫는다. 삶의 시기와 단계마다 사회가 사람들이 정해놓은 기대에 부응하는 것이 삶의 기준이었고 행복인 줄 알았다. 몇 년 전 죽음의 문턱에 서본 후 많은 것이 변화되었다. 죽음은 예고하고 오지 않는다. 당신이라고 예외일 수 없다. 마음의 울림대로 살지 않으면 마지막 그날은 가장 후회스럽고 억울한 날이 될 것이다. 마음의 울림이 무엇인지 꼭 알기를 원한다. 나를 가장 설레게 하는 것이 무엇인지 알아야 한다. 쉽지 않은 과정이다. 스스로 집요하게 물어보아야 한다. 모두 바쁘다고 한다. 바빠서 그럴 여유가 없다고 한다. 삶은 원래 계속 바쁠 수 밖에 없다. 바쁜 일이 끝나고 나면 죽음은 코앞에 있다. 자신의 인생에 나란 사람은 가장 중요하고 소중한 사람이다. 시간은 한계가 있다. 다른 이가 만들어낸 생각에 내 삶의 시간을 채우지 말라. 자신의 삶에 용기를 내길 바란다. 삶의 매 순간을 그저 흘려보내거나 놓치지 않길. 겨울이 지나면 봄마다 새롭게 꽃이 피듯, 더러 구름이 끼어 보이지 않아도 365일 매일매일 밤하늘에 별이 빛을 발하고 있듯, 삶속에는 늘 사랑과 가쁨이 함께한다는 사실을 알아채길. 손만뻗으면 닿은 곳에 행복과 감사한 일이 가득하다는 것을 깨우치고 잊지않길. 인생의 메마른 시기가 왔다고 해서 한없이 계속되지는 않을 것이다. 인생의 폭풍같은 시기가 왔다해서 그 역시 한없이 계속되지는 않을 것이다. 다시 봄비가 내릴 것이고 다시 밝은 햇살이 비칠 것이다. 나는 지금, 그렇게 믿으며 살아간다.

빛으로 다가온 순간

뜨거움으로 밝게 빛나는 햇빛.
어두움에서 희망이 되어주는 달빛.

어두움이 있어야 빛이 있고
빛이 있어야 어둠도 있다.

우리는 햇빛의 시간과 달의 시간이 공존하는 세상에서 살아간다. 비우면 비울수록 풍요로워지는 '미니멀리즘'으로 진정한 자유와 행복을 그려낸다. 이것이 빠르게 변화하는 세상 속 나와 우리. 지구, 미래를 위한, '지속 가능한 삶'의 세계였다.

나와 우리를 위해,

건강한 지구, 미래를 위해,

Our Home,

초록 지구에서 행복하게 살고 싶다.

Less Is More!

For My Happiness,

For Our Happiness,

For Our Planet,

For a Sustainable GREEN Smart Future Life,

마음을 편안하게 비우고 차분하게 최악의 상황들을 생각하고 개선해 나가다보니 막상 과거의 아픔은 큰 일이 아니었음을 느끼게 되는 순간들이 많다. 이제는 무료하거나 허무한 삶이 아니라 나는 어떻게 인생을 살 것인가를 고민한다. 꾸준히 나아가면 자신이 정말 이루고자 했던 모든 것을 이룰 수 있다는 말이 있지 않은가. 우리는 살아가야 할 공통된 목적이 생겨버렸다. 우리들이 같이 모여 행복하게 살 수 있는 순환구조의 인생을 만들어내는 것. 세상은 돌고 도는 순환 구조의 지속가능한 라이프를 그려나가야 한다. 그것이 나, 개인, 우리, 타인, 사회, 세상이 행복할 수 있는 방법이다. 내가 글쓰기를 시작한 건, 나의 삶에 대한 불안을 치유하기 위해서였다. 그렇게 시작한 글쓰기가 나에게 인생의 즐거움을 안겨주었다. 원하는 결과를 얻기위해서라면 물론 목표설정도 중요하다. 뚜렷한 목표가 있어야 고난과 시련을 견뎌 끝끝내 원하는 곳에 다다를 수 있을테니까. 하지만 적당한 즐거움이야 말로 꾸준함의 원천이라고 생각한다. 힘을 빼고 좋아하는 일, 즐거운 일을 하는 그 순간에 집중한다면 그 결과가 꼭 금전적인 보상으로 이어지진 않더라도 일상이 조금은 더 풍요로워지니 그것만으로도 의미가 있지 않은가. 내가 꿈꾸는 길은 인기를 얻고, 인정을 받기위해 바라보는 멀리 떨어진 반짝반짝 빛나는 별이 아니라 땅에서 길 위를 같이 이야기를 주고 받으며 걸을 수 있는 친구같은 존재가 되고싶다. 내가 진짜 중요하다고 생각하는 가치를 소수에게라도 전할 수 있는 그런 사람이 되고 싶다. 늘 나를 온전히 지지해주고 함께 해주는 분들과 행복한 인생을 살다가고싶다. 당신 또한 좋아하는 일을 하며 지금의 시간들이 당신의 일상을 더욱 더 풍요롭게 만들어주길 바란다. 부족하지만 책을 읽어주신

독자분들에게 감사의 말씀을 전한다. 책을 집필하는 동안 책을 쓰는 것은 확실히 나의 영역이라는 것을 알게되었다. 더 많은 이야기를 담기 위해 최선을 다했지만 그래도 아쉬운 마음이 드는 것은 어쩔 수 없는 것 같다. 다시 한번 감사드리며, 독자 여러분의 행복하고 자유로운 삶을 응원한다.